崩落する日本

宮崎慎一

Parade Books

はじめに

私が本を書こうと漠然と思ったのは、会社を辞めた六年程前になります。それまでは、仕事人間で仕事のことしか頭になく、家族には「母子家庭みたい」と言われるような生活でした。

仕事を離れて周りをみると、今まで気づかなかった出来事が日本や世界を取り巻いています。

このままでは日本（世界）は確実に特定の人達によって、悲しい状態になってしまう、いや、もうなっていると思いました。

地球の温暖化問題、経済問題、そして戦争を含む世界各地の争いごと、取り返しがつかない所まで来たとは言いませんが、確実に崩れる方向に進んでいると思えます。

特に戦争は国の特権をもつ少数の人によって簡単に起こり、核が飛び交えば地球の三分の二の人が確実に亡くなると言う専門の方もいます。

これからの時代は、若い人達が基本になるもの（人間）を見失わず、人間が人間として生きて行ける世の中にしてほしいと願っております。

そして、読者自身の人生に少しでもプラスになることが出来ればと思い、思い付きでいろいろ書いてみました。

この本を読んで頂ければ、疑問に思うことも、反論も多々あると思いますが、どうか最後まで読んで頂くことをお願い申し上げます。

二〇二二年十二月　宮﨑愼一

目次

はじめに……3
地球温暖化防止について……8
教育について……29
戦争について……44
宗教について……67
創世紀……71
政治について……90
人間について……107
未確認飛行物体（ＵＦＯ）と宇宙人……117
若者に問う……134

雑言 …… 147
温暖化 …… 147
ロシアのウクライナ侵攻 …… 149
少子化 …… 150
追いかける …… 152
逆らってはいけないところ …… 153
お金 …… 153
起業 …… 154
仕事 …… 156
良い会社、悪い会社 …… 156
ＮＨＫ …… 159
核（核爆弾）について …… 160
賃上げ問題 …… 164
ギャンブル・投資 …… 165

男性・女性 173
法律 175
天皇制について 177
日本の企業 178
過労死 179
企業の成功 181
神様 182
宇宙 184
父 185
理想 187
宮崎語録 191
おわりに 202

地球温暖化防止について

今世界では二酸化炭素（CO_2）による温暖化で大騒ぎになっています。なぜ温暖化？

この問題について、世界が少し本筋からずれているように思われるので、お話しさせてください。

この問題を申し上げる前に、少し、地球の歴史について聞いたことを書いてみます。

宇宙の年齢は約百三十八億年、地球の年齢は約四十六億年と言われています。どのようにして測定してこの数値がでてきたのか、また、この数値が合っているのかも私には分かりません。

出来たころの地球は、気温も気圧もかなり高かったと言われています。

地球が誕生した頃の大気は、一説には、ヘリウム（He）、水素（H_2）からなっていたと言われています。

三十五億年前ごろ地殻ができて、火山活動の繰り返しのうちに、二酸化炭素（CO_2）、アンモニア（NH_3）、窒素（N_2）、水蒸気、ができて水蒸気が冷えて海ができた。そして生物が生まれた。

また、違う説では、初めは水蒸気や窒素（N_2）からなっていて、やがて地表の温度が下がって、水蒸気が海となって海中に生物が生まれた、というものなどがあり、初めは、どんな成分でできていたのかはっきり分かりません。

長時間かかって海の中の植物が太陽の光で光合成が行われ、地上にも植物が生え、現在の空気成分になったと言われています。

さて、地球の空気の成分をご存知でしょうか、五十年ほど前は、体積比で、窒素（N_2）七八パーセント、酸素（O_2）二一パーセント、アルゴン（Ar）〇・九五パーセント、二酸化炭素（CO_2）〇・〇三パーセント、その他と、となっていました。

今はと言うと、二酸化炭素（CO_2）が〇・〇三五パーセントぐらいでしょうか？　二酸化炭素（CO_2）が〇・〇〇五パーセントほど増えています。

この二酸化炭素（CO_2）の増加は、十八世紀以降の産業革命からと言われています。

このころから、大量の化石燃料を掘り出し、燃焼することにより、大量のエネルギーを得るようになっていったのです。当然二酸化炭素（CO_2）を発生しながら、このエネルギーによる産業の発展は止まることなく段々と拡大していきます。

では、それまでの地球はどうかというと、太陽から降り注いだ熱エネルギーと、木材、木炭、植物油、などを燃やした熱エネルギー、火山活動による地熱などで生活していました。

これらの熱エネルギーは、地球の自転（昼と夜）、地球の公転（夏と冬など）により地球から宇宙に放出され、長年の間地球各地の気温の平衡を保ってきたのです。

これまでの長い歴史間には、氷河期や温暖期も何度となく繰り返されてきて、現在に至ったと思われています。

これは、宇宙の、そして、地球の自然現象だったのです。

そこに人間が生活のためと、手を入れて、化石燃料を大量に掘り出し、熱エネルギーを得ました。これは、人間が生きるために仕方なかったことだと思います。これもまた、大きい意味で自然なのかもしれません。化石燃料を燃やすことで、当然ながら大量の二酸化炭素（CO_2）、が発生しました。また、水蒸気も発生します。

それに、自然発生のメタン（CH_4）もあります。

これが、宇宙に逃がす熱量の妨げになっていると考えられる温暖化ガスです。このため宇宙に放出されきれなかった熱エネルギーが少しずつ、地球上や、内部に貯まっていっております。

それがゆえに、地球の気温もほんの少しずつですが上昇してきているはずなのです。

今、世界では、温暖化ガスの二酸化炭素（CO_2）、を削減すべく色々と検討されています。

化石燃料の使用を減らしたり、そのために機械効率をあげたり、原子力発電所の再稼働を検討したり、他国では、新たな原子力発電所の建設も検討されています。

特に力を入れているのが、太陽光発電、風力発電です。

原子力発電、太陽光発電、風力発電、水力発電、地熱発電などは、二酸化炭素（CO_2）をほとんど排出しません。

燃焼エネルギーにおいては、水素（H_2）、アンモニア（NH_3）、などの炭素（C）を含まないガスの燃焼を検討していると言います。

二酸化炭素（CO_2）の削減では、二酸化炭素（CO_2）とメタン（CH_4）や水素（H_2）やメタノール（CH_3OH）やアンモニア（NH_3）などと反応させて二酸化炭素（CO_2）を大量に増やさない方法が検討されています。

（C）のついているものは燃焼すると、二酸化炭素（CO_2）、を排出しますし、水素（H_2）なども（C）は入っていませんが、自然のものでない限り、製造過程で二酸化炭素（CO_2）を排出する可能性があります。

また、二酸化炭素（CO_2）を吸収して、固形化して地下に埋めると言う考えも検討されています。

ドライアイスにするという考えもあるようですが、これは温度が上昇たり、圧力が下がると気体の二酸化炭素（CO_2）に戻ってしまいます。

では、地球が温暖化するとどのようなことが起こるのでしょうか？

一般に言われている事ですが気温の上昇により動植物の生態系が変わり、豪雨、山火事が起き、氷河が解けて海面が上昇すると言われています。このことにより、低いところの土地が水没することになります。

今から六から七万年前には氷河時代が始まり、二万年ぐらい前に最も寒い時があったようです。

八千年前ごろから温暖化が始まり、平均気温で七℃ほど上昇したと言われています。この時海面が二五メートルほど上昇したとも言われました。

また、海の中や陸地の動植物の生態系や、分布の状態も変わったことは言うまでもありません。中には生きていけないものも出てきます。

二酸化炭素（CO_2）を二〇三〇年までに何パーセント削減、二〇五〇年までに排出量を〇パーセントにするとか、それぞれの国や、グループ国で適当に削減目標を出しています。

国連おいても、削減目標の少ない国の指摘はありますが、それ以上の詰め寄りは、殆どありませんでした。

更に馬鹿げた話では、二酸化炭素（CO_2）の排出量の枠の余っている国が、排出枠をオーバーした国に、排出枠を売るというもの、どう考えても二酸化炭素（CO_2）の削減どころか、増加になってしまうように思われます。

誰がどう考えたのか排出量の多い国のしたたかさとしか思われません。

それに、どう考えてもおかしな話は、世界の空はつながっているということです。

この問題は一国、一国の問題でもありますが、世界すべてが一つになって検討しないと解決はできません。

排出量の取り決めは、本来、国連でまとめるべき問題でありますが、決定権のある常任理事国（アメリカ、イギリス、フランス、中国、ロシア）がそれぞれの利権を前面に出し、自国の有利性とわがままを通し、国連の機能はないに等しい状態です。

日本国は、殆ど自国の意見の通らない国連に、アメリカに次ぐたくさんの資金を出しています。このお金は日本が世界に対する見栄みたいなもので、日本国民の税金であります。

これは、日本国の政治力の弱さではなく、無能さに他なりません。

また、夏になると各家庭で、エアコンを一斉に使いますので、夏の外気温は更に高くなります。


さて、これからが私の、温暖化対策の視点がずれていると言う本題に入ります。


今まで世界は、温暖化ガス、特に二酸化炭素（CO_2）の削減に躍起になってきました。それでは温暖化は収まりません。

二酸化炭素（CO_2）が原因のように問題視されています。そして最近では牛の呼吸から出るメタンガスも問題になっている様です。

二酸化炭素（CO_2）の二十数倍の温暖化効果があると言われております。

世界中の人が焼肉をやっています。小さいものまで地球環境の問題にしてしまう、このことにより、問題の本質を複雑化して、どのようにしたら地球環境を改善出来るかの道筋が遠くなってしまっている様に思います。

牛は人間の食に必要なものです。昔から牛は存在していたのです。

例えば、今すぐ二酸化炭素（CO_2）の発生を〇パーセントに出来たとしましょう。

二酸化炭素（CO_2）が地球温暖化の原因だとすれば、今までの地球にあった二酸化炭素の量は変わってないわけですから、今まで起きた気象問題は今後も同じように起きることでしょう。

世界中の気温の分布もあまり変わりません。しかし、温暖化の根本原因は二酸化炭素ではないのです。

誰が言い出したか知りませんが、環境問題を二酸化炭素（CO_2）と言う悪者を前面に作り上げ、世界中がそれを煽っています。

色々ある要因のひとつではありますが、根本原因ではないのです。

原因は、地球上で熱を発生させているということです。

一つ申し上げておきますが、二酸化炭素（CO_2）は燃えません。燃焼しないのです。

ですから熱を発することはありません。

十八世紀頃から起こった産業革命以前と、その後とでは、熱エネルギーの発生量が全然違っています。

昔の地球は、極端に言えば太陽からの熱エネルギーと、地殻内部から地表に出てくる熱エネルギーで均衡を保っていました。

そしてその熱は、大気圏を通って宇宙に放出されていました。それで地球の温度環境は安定を保っていたのです。

地球が太陽から受ける熱量は、太陽が発する熱量の二十億分の一とか言われているようですが、概略の計算はできるようですが数値を言われても、大きすぎてピンときません。

本当にアバウトですが、太陽定数等を入れて一・七三×一〇の一四乗キロワットのエネルギーを受けているとか？　実際にはもう少し少ないという数値も出ているようですが、でも、しかし、大きすぎて想像もできません。

地殻内部から地表に出てくる熱量は地形が複雑すぎるのと、場所により熱量が違うのではっきりした計算はできないと思われます。

産業革命まで、何とか均衡していた気温も、化石燃料（石炭、石油、天然ガスなど）を掘り出し、火をつけて熱エネルギーに変えて使用するわけですから、気温が上がらない方がおかしいのです！

部屋のなかでストーブを焚くようなもの。電気ストーブでも同じで暖かくなります。暖かくならない方がおかしいのです。

しかし、今の産業で、化石燃料を使わないわけにはいきません。使わなければ人々は貧困になり、経済恐慌に陥ります。沢山の関連会社が倒産するでしょうし、失業者もかなりの数になります。

今、地球上で使用している化石燃料のエネルギーは、太陽が地球上に注いでいるエネルギーの二万分の一以下しかないと言われております。それでも想像を絶する数値です。

これが一日二十四時間、三百六十五日発生しているわけですから、温まらないわけがないと思います。この発生させた熱を、全て宇宙に放出すれば、問題ありません。

しかし、増えた熱エネルギーまで放出する能力は今の大気にはありません。更に、二酸化炭素（CO_2）のような熱を逃がし難いガス（温暖化ガス）も増えていきます。地球全体としては、年間コンマ代の温度上昇ですが年数を重ねれば、それなりに大きい数字となってきます。

また、地域差も出てくるので、想像以上の温度上昇が起きる地域も出てきます。地球上で発生した熱を、すべて、宇宙に放出するか、太陽から受ける以外の熱を発生しなければ、安定した温度域での地球でいられるのですが、先程言いましたが、熱エネルギーの発生がなければ、経済上成り立たなくなりますので、そういう訳にはいきません。

発生した熱を宇宙に放出するには、それなりの大気の構成が必要になります。前に書きましたが、今の大気構成では、発生した熱をすべて宇宙に放出することはできませんので、どうしても気温が上がっていきます。二酸化炭素（CO_2）排出量が0パーセントになったとしても、温暖化は産業革命以前には戻りません。

私は、二酸化炭素（CO_2）を少なくすることには賛成です。でも、あまり急いで対策をやろうとすると、削減目標が出なかったり、削減数値が足りなかったり、出来ない様な数値目標を設定したりすると、国や企業に、経済や産業活動の影響が出るのではないかと心配します。

これから話すことは、浅知恵者（専門家ではないです）の発想の一つとして聞き流す程度にしておいてください。対策の例えの話です。

一つは、太陽から来たエネルギーだけで補うようにします。余分な発熱を抑えるためです。

何といっても、太陽光発電と風力発電です。それから、自然エネルギーでの、水力発電、波力発電、出来るだけこのような電力で産業を進めることです。

勿論、このような装置を造る過程でも、二酸化炭素（CO_2）は出ます。ある程度は仕方ありません。

地熱発電、原子力発電はいけません。それと、しきりに研究されている核融合発電もいけません。これらの設備は二酸化炭素（CO_2）を発生しませんが、熱で蒸気を発生させてタービンを回して発電します。回した後の蒸気は復水器で冷却して再利用しますが、復水器で間接的に加熱した海水や水は、川や海にそのまま捨てられます。

捨てられた大量の熱が、地球を温めて温暖化の原因になります。

少し難しくなりますが、素人考えを一つ。これをやるには世界中の納得と協力が必要です。組み合わせは色々あると思います。

可能か不可能かは別として、大気の成分を調整します。二酸化炭素（CO_2）は、酸素（O_2）や窒素（N_2）に比べ、一・六倍～一・七倍熱を伝え難いのです。また、熱の保有もします。何度も言いますが、地球に熱が貯まるので温暖化になるのです。

前の方のページで、五十年程前より二酸化炭素（CO_2）が〇・〇〇五パーセント程増えていると話しましたが、これにより、大気圏から宇宙に放出される熱が少なくなりました。

そこで例えの話をします。この二酸化炭素（CO_2）より、十倍以上も熱の伝わりやすい水素（H_2）を大気に放出します。

水素（H_2）は空気中で加熱すると燃焼、（爆発）をおこします。酸素と反応すると水になります。

空気中での燃焼、（爆発）は、四パーセント～七四パーセントの範囲内で起こります。

ですから、増えた二酸化炭素（CO_2）、○・○○五パーセントの十分の一以下、つまり、○・○○○五パーセント以下の水素（H_2）を大気中に加えることで、地球から宇宙に放出する熱量を増やすことができます。

ただ、莫大な水素（H_2）の量になり、放出するバランスも考えなければいけません。

少々危険ですので、一気に放出するのでなく、少しずつ分散して、時間をかけて、世界中の気温の変化を見ながらやらなければいけません。間違うと、地球の気温が一気に下がることになり、取り返しのつかない大変なことになります。

それに水素（H_2）が大気中で及ぼす影響も考えておかなければなりません。

少しずつだと安全で問題はないとは思いますが。

量的には地球全体でかなりのものになると思われます。実行するとなれば、それに伴うコストのことは今のところ分かりませんので、専門の方々に算出して頂く必要があります。

そして世界の人々の協力が必要なことは、言うまでもありません。対策が面倒ならそのままでいいのではないかと思います。

再度申し上げますが、二酸化炭素（CO_2）削減に取り組む事が無駄だとは言っているのではありません。時間がかかると思います。

世界の他国の企業は知りませんが、日本国内の企業は、こぞって二酸化炭素（CO_2）削減をアピールしていますが、削減数値は、眉唾ものもあるように思います。

小さい積み重ねが、の思いはありますが、世界の温暖化が、短時間で緩和されるとは思えません。

二酸化炭素（CO_2）削減とは直接の関係ではないですが、貰った名刺に、どれもこれも、再生紙使用と書いてありますが、それが「どうしたの」と、思わないでもありません。確かにリサイクルに協力している会社ですよ！とのアピールにはなりますが！

これも燃やせば二酸化炭素（CO_2）が出ます。

とにかく、二酸化炭素（CO_2）をこれ以上増やさない、余分な熱を出さないのであれば、太陽のエネルギーを利用した産業に変換して、化石燃料は使わないことです。

何度も言いますが、太陽以外の熱を発生させるから、温暖化になるのです。

地球の年齢は、約四十六億年と言われているのはお話ししました。今日までの長い時間のうちに、気温も、大気の圧力も段々と下がり、地殻の温度も下がりました。大気のガスの成分もこんにちの成分になりました。人間誕生以前の気候はわかりませんが、六百万年位前に人に近い動物が現れ、その後二百万年位前に人が現れたと言われています。今のホモサピエンスと呼ばれる人間が現れたのが、今から二十万年位前と言われています。

何を言いたいかと言いますと、二十万年前からこんにちまで、何度も何度も、温度差は違ったにせよ、寒暖の気候変動は起こっていたと思われます。

今の人類が存在するということは、これまでの気候に耐えてこられたということです。今の化学力や技術力をもってすれば、十年で数度の温度上昇はクリアできるのではないかと思います。

そのうち、排出された二酸化炭素（CO_2）を気にするのであれば、吸収して、化学的に少なくする技術も確立されると思います。

肝心な温度上昇の原因である余分な熱を出さない技術も開発されると思います。それに、人間には順応力という能力が備わっています。急激な温度変化でなければ耐えることができます。

マイナス二〇度のシベリアから十数時間から二十時間かけて、南方のプラス三〇度の国へ移動しても、気温差で死んだという話は聞いておりません。

多少の災害はどんな時代でも起こります。大きい地震も起こることでしょう。

核融合で、大量の熱エネルギーを出している太陽も、水素（H）からヘリュウム（He）に変わり、少しずつ大きくなっています。地球に届く熱も少しずつ多くなっているということです。

このままいけば地球は終わりだと悲観しないことです。

今の化石燃料を使った産業は、必然で、大きく括れば、これも自然なのかもしれません。

百年、二百年単位で考えれば、地球も穏やかで、安定して生活できる星になっているかも知れませんし、違う星での生活をしているかも知れません。

皆さんで知恵を出し合うことが大切です。

もう一度言います。温暖化の主原因は二酸化炭素（CO_2）ではなく、地球から宇宙に放出出来ない熱エネルギーが、地球に少しずつ蓄積しているためです。太陽から来た熱エネルギー以外の熱は、地球温暖化の原因となります。今、地球で発生している熱は、太陽から来る熱に比べればほんの僅かです。地球内部の熱が、何かの事情で一度に大量に噴き出したり、太陽を楕円状に回っている地球の軌道が今までの軌道以上にずれない限り、心配することはないでしょう。

今の温暖化対策に使っているお金や時間を、違った地球環境の対策に使ってみてはいかがでしょうか。

地球温暖化の主原因ではない二酸化炭素（CO_2）をどうしても削減し、環境問題で苦しむ発展途上国に財源を向けるのであれば、国連が音頭を取り、二酸化炭素（CO_2）の排出国から排出税名目でお金を徴収して、環境で疲弊している経済困窮国に分散することも考えるべきではないでしょうか。

最近の世界の二酸化炭素（CO_2）排出国。

一位中国、九十八億九百万トン

二位アメリカ、四十七億六千六百万トン

三位インド、二十三億九百万トン

四位ロシア、十五億八千七百万トン

五位日本、十億八千万トン

六位ドイツ、六億九千六百万トン

七位韓国、六億五百トン

などの国から徴収するのです。ただ排出量については、異議を唱える国もあるので、その数値の七〇パーセントに、一トン当たりの金額を掛けて徴収するようにします。

集まったお金は国連が管理して、その七〇パーセントのお金を環境で経済が困窮している国々に配分します。全部配分すると、何かの不測が生じたときに対応出来ないからです。

今の国連の仕組みでは、バラバラで一つのことも纏まらないので無理だろうと思います。

世界から少しはまともだと思われている日本でも、入るお金の計算もできない政府が、入金の五割増し以上の予算を毎年組み、赤信号皆で渡れば怖くない式の国家予算になっています。どんな使い方をしても、だれも責任を取らない日本国ですが、世界も同じですね。

地球から逃げ出すことを考えないで、この美しい地球で過ごしていく知恵を出し合いましょう。

教育について

教育は、その言葉事態奥が深くて非常に難しいのです。書き方は、教え育てると書きますが、知識、技術を授け価値の高い素晴らしい人間をつくることだと言われています。

世の中は、生きていることがすべて勉強であり、生きていることが教育されていることだと思います。

こういうことを言うと堅苦しく感じると思われますが、しばらくお付き合いください。

しかし、大勢の人を集めて行う教育は、一つ間違うと、大勢の人を、あらぬ方向に導くことになります。

教える側が、心を正して、謙虚に向かい合って、進めなくてはいけません。それと、教えることに遠慮や恐怖があってもいけません。

教育は、すべての物事の根幹です。教育が全ての物事を決めると言っても過言ではありません。勿論行うのは人間です。


大袈裟ではないのです。個人もそうですが、国の行く末は、教育制度で決まってしまうと思います。

国の衰弱は、国の教育の失敗にほかなりません。


日本には昔、寺子屋という読み書きを教える学校がありました。数が少なく、特別な限られた子供たちが最低限の教育を受けていたと思われます。

江戸幕末になり、あちら、こちらに塾が出来、日本の行く末を案じる人達が集まってきます（今の日本に必要な状況だと思いませんか）。

その頃の代表的な塾として吉田松陰が開設した松下村塾があります。

ここでは、武士、町人関係なく入塾することができ、幕末から明治にかけ、高杉晋作、伊藤博文、山形有朋、木戸孝允、乃木希典、など、またその関係者も含め幕末から明治時代にかけ、のちに有名になる多くの人達が学び活躍しました。

現代でこそどんな人達でも平等に勉強することができますが、明治維新までは士農工商という階級があり、階級を越えて学ぶことは出来なかったのです。

塾を開設した吉田松陰は、長州藩士の出で小さい頃からずば抜けて頭の良い人だったそうです。国の行く末を案じ、また、人間の生き方はどうあるべきかを示した人でもありました。

「世の中の役に立たない学問は、学問にあらず」との教えを徹底します。

彼は井伊直弼の暗殺を計画したとしてとらえられ斬刑に処されましたが、この時わずか二十九歳だったとか！　今にしてみれば国にとって大きな損失だったのかも知れません。

伊藤博文は、農民の子に生まれ、十七歳で松下村塾に入門します。彼はイギリスに渡り、進んだ文化、経済、軍事について学びました。そのほか宗教にも関心を示したと言われています。

若いうちから、高杉晋作の下で命をかけて行動し、幕末の動乱をくぐり抜けて政治家になります。

大日本帝国憲法を作ることに尽力し、憲法を制定しました。そして、帝国大学の創設にも尽力します。近代日本の基礎を創ったと言われている人です。また、富国強兵のためには、人材教育が急務だと訴えました。そのためには欧米で見聞を広めた日本人を教育指導者とすることを決めました。

そして選んだのが、初代文部大臣、森有礼です。

伊藤博文は、四度にわたり内閣総理大臣を務めましたが一九〇九年、六十九歳の時、中華人民共和国の満洲ハルビンで、韓国の独立思想家に暗殺されます。


初代文部大臣森有礼は、薩摩の下級藩士に生まれました。

若くして、五代友厚達とイギリスに留学し、のちにアメリカへも留学します。

欧米の教育制度を徹底的に学び、英語の国語化も提唱したといいます。

かなり先見の目があったようで、進歩的な人だったようです。

付き合いのあった人達に、福沢諭吉、渋沢栄一、勝海舟などがいたようです。

森有礼は、一橋大学、明六社の創設者でもあります。

宗教にも深い関心を示したと言われ、近代教育制度を確立した人でもあります。しかし、本当の話かどうか知りませんが、伊勢神宮を訪れたとき、土足厳禁の拝殿に靴を脱がずに上がったり、持っていたステッキで目隠しのすだれを払いあげたり、など不浄の行動をしたとのことで、国粋主義者に四十三歳の時刺殺されました。

伊勢神宮は、皇族の先祖（天照大神）を祀ってあります。

日本の国は、二千六百八十年前の建国依頼、天皇家を国の主としてきました。この天皇家を主とした日本の制度が、我が国をぶれない国家として長年にわたり存続することができた理由だと思います。

森有礼は、宗教にも深い関心を示していたとのことですが、教育者や、政治家が偏った考えで行動に移す行為は、当時では死をもって償うことになったのでしょう。

特に政治家や教育者が宗教関係にかかわる場合は、現在でも十分慎重を期さねばなりません。

また、同じ政治家で優れた教育者に、大隈重信がいました。彼は佐賀県の藩士の家に生まれ、藩校の弘道館に六歳で入学し、学業もトップクラスだったようです。その後蘭学寮に入って洋学を学びました。英語も堪能で、外交の玄関である長崎にて商売もしていたようです。

合理的な性格で、効率を重視した商売をしていたと思われます。勉強熱心で、長崎に英学塾を創ります。

日本の将来を案じていた彼は、政治家になり、第八代、第十七代の内閣総理大臣を務めます。そして、日本初の政党内閣をつくります。

国民の意思によって国家の舵取りをする民主主義、人材育成を目指します。鉄道を施設、太陽暦導入、富岡製糸工場設立などを行いました。

また、早稲田大学の創立者でもあります。

彼は、八十三歳で生涯を閉じますが、葬儀は国民葬で行われました。

その後、第二次世界大戦まで大した政治家の出現もなく、戦争に突き進みます。

大隈重信の友人に、福沢諭吉という人がいました。一八三五年大阪生まれの武士、啓蒙思想家です。大阪では、蘭学を学び、欧米使節団に三度参加しております。

福沢諭吉の有名な著書に「学問のすすめ」という本があります。

そこには、人間の自由、平等、権利について書いてあります。実用学問の必要を説いています。ここで少し『現代語訳　学問のすすめ』(福沢諭吉著、齋藤孝訳、ちくま新書)の内容を要約して書いてみます。

「天は人の上に人を造らず、人の下に人を造らず」と言われている。つまり天が人を生み出すに当たっては、人はみんな同じ権利を持ち、生まれによる身分の上下はなく、万物の霊長たる人としての身体と心を働かせて、この世界の色々なものを利用し、衣食住の必要をみたし、自由自在に、また、互いに人の邪魔をしないで、それぞれが安楽にこの世を過ごしていけるようにしてくれているということだ。

しかし、この人間世界を見渡してみると、賢い人も愚かな人もいる。貧しい人も、金持ちもいる。また、社会的地位の高い人も、低い人もいる。こうした雲泥の差と呼ぶべき違いはどうしてできるのだろうか。

その理由ははっきりしている。「実語教」という本の中に、「人は学ばなければ、智はない。智のない人は愚かな人である」と書かれている。つまり、賢い人と愚かな人の違いは、学ぶか学ばないかによってできるものなのだ。また世の中には、難しい仕事もあるし、簡単な仕事もある。難しい仕事をする人を地位の重い人と言い、簡単な仕事をする人を地位の軽い人と言う。およそ心を働かせてする仕事は難しく、手足を使う仕事は簡単である。だから、医者、学者、政府の役人、また大きい商売をする町人、たくさんの使用人を使う大きな農家などは、地位が重く、重要な人と言える。

社会的地位が高く、重要であれば、自然とその家も富み、下のものから見れば到底手の届かない存在に見える。しかし、そのもともとを見ていくと、ただその人に学問の力があるかないかによって、そうした違いができただけであり、天が生まれつき定めた違いではない。

西洋のことわざにも「天は富貴を人に与えるのではなく人の働きに与える」という言葉がある。つまり、人は生まれたときには、貴賤や貧富の区別はない。ただ、しっかり学問をして物事をよく知っているものは、社会的地位が高く、豊かな人になり、学ばない人は貧乏で地位の低い人となる、ということだ。

福沢諭吉は、慶応義塾大学の創設者でもあります。

大隈重信と交友関係にあったことから、頼まれて政府の統計学発展に尽力します。一八八五年内閣統計局が出来たとき、中心的役割を担う人材の推薦をしたそうです。

統計学とは、データの特徴を数値で示したもの、確率と面積関係、分布状態などを数値化したものです。

福沢諭吉は、競争よりやる気にさせる教育を目指した人です。

私が、教育について書くのになぜ幕末から明治時代の政治家で教育者を書いたかというと、現在の状況とは大幅に違っていますが、今の政治家や教育者には日本をどのように導いていくのか、どのような国であればいいのかという思想、情熱、愛情が殆ど感じられません。

今の政治家は、二世、三世の議員がかなり沢山いて、世襲で大きな顔をして生きていこう！　税金を出来るだけ自分の懐に入れようとばかり考えています。ましてや票稼ぎのため、政治の素人である芸能人、有名人を担ぎ上げ票取り合戦をしています。

また、平和ボケした国民は安易に投票して国の行く末など考えもしていません。勿論しっかり検討している人もいることは間違いないので、誤解のないように書いておきます。

それと、とくに国政選挙での投票率の低さに、がっくりします。国政選挙は国の行く末を決定する大きな選挙です。投票する相手がいなくても、どの政党に投票するか決められなくても、投票場には行くべきです。

そして、白紙で良いと思いますので、国民の義務を果たしましょう。投票にいかない人に限って、政治批判をしたり、不満を言っている人が多いように思えてなりません。

今の日本は、平和ボケした国民と、自分の立場しか考えない政治家が多く、抜き差しならない状態になっております。人ごとだと考えている国民こそ大変なことを受けることになります。もう、今でも該当している人、困っている人が沢山出ております。

もう遅い状態ですが、それでも変えていかなければなりません。

そのためには、幕末から明治時代に日本を引っ張っていった政治家や教育者のような、思想、状況の分析力、決断、行動力を伴った情熱ある政治家や教育者が何が何でも必要になります。

今からでもそんな人達を見つけたり、教育したりしていかなければなりません。

そのためにも良識ある国民が選挙に参選して優れた人を選ばなければなりません。これは、本当に急務です。

冒頭に、教育が国の行く末を決める根幹だと書いたのはそのことです。いい加減な教育、思い付きの教育は、いい加減な国民や、そこから出るいい加減な政治家しかつくりません。全て良いことも、悪いことも行ったようにしかならないのです。

今までの教育は、児童や生徒の成績を上げることに主眼を置き（各家庭が希望したことでもありますが）良い成績で中学に上がり、良い成績で高校に上がり、良い成績で、有名大学に入る。その後は言わずと知れた優良企業に入社して、多少の出世競争を経て、めでたく定年退職を迎え、それなりの退職金をいただいて、何とか不自由のない老後を過ごす。はい、これで人の一生はめでたく終わりになります。

これで皆さん納得できる人生なのでしょうか？　国は人々にこんな生き方を教育しているのでしょうか、国民の多くが納得して生きているのでしたらそれが国意でしょう。しかし生きている間には、それだけではすみません。周りの国々、地球環境、生活する中で付き合う色々な人々、等々、この色々な付き合いや障害の中で生活して行くのです。

この後、人間について、など書いてみますので、興味があれば読んでみてください。

私が受けた文部科学省の教育で、少しおかしいと思ったことが幾つかありますが、その中からを二つばかり書きます。

一つは英語教育です。わたしが教わったときの頃ですので、今の教育方針は少し変わっているかも知れません。

小学校で、ローマ字を習い、中学校から英語を習います。言葉は人と人のコミュニケーションですから、聞けて、話せるのが基本です。途中で文法や、口や舌の動作まで一緒に入ってくるので理解できなくて、中々しゃべるところまで行きません。その後、高校、大学と進みますが、卒業してもしゃべれない人が沢山います。実際に会話をしようと思えば、専門の別の学校へ費用を払って行かなければなりません。

学校では、少なくても片言でもしゃべれる、聞ける教育をすべきなのではと思いました。勿論、生徒、学生の学ぶという姿勢も影響しますが！

もう一つは、小学生の時の国語の科目で、漢字の書き順があります。順番を教える事が駄目だとはとは思いませんが、字の格好や形は全く問題ないのに、書き順が違って間違いにされるのはどうかと思いました。誰でもが読める漢字になっていれば問題にすることはないと思います。よく駄目だと言われるのが「必」という字です。

教育は、最初は教えてもらい、自分を育んでいくものですが、自立して生きていくためや、人の役に立つためには、沢山の本を読んだり人の話しを沢山聞いたりして、自分で勉強することです。

私達は、段々と先の見えない時代に生きております。見えないから不安になったり、絶望したりします。沢山の本や沢山の情報を読み解き、勉強（知識を沢山蓄える）することにより、見えない将来を少しでも見えるようにしたいものです。世の中を前に進めて行こうと思えば、個人でも、国家でも発想力を養うことです。

政府にもそういった教育をして頂き、決断力、実行力、先見性、協調力、愛国心を持てる人を育成して頂きたいと思います。

人生楽しくないと、長続きしないし頑張る力も出ません。そのためにも私達は優れた教育を受けることにより、優れた政治家を選ぶことが出来、優れた政治家にもなることが出来ます。

世界の中で、教育レベルの低い国は殆どが経済力の弱い国になっています。そんな国が経済的に豊かになるには個人的教育レベルも必要ですが、国家戦略での教育を遂行していくしかありません。長い道のりになるのは覚悟をして、地道に続けることだと思います。

日本の文科省は、マニュアルに沿った教育だけをするのではなく、人も造れる教育を推し進めるそんな教育が何故できないのか、教育者の堕落を感じます。

国が良い教育を行えば、学んだ人は自分で先を決め自分で勉強をしていきます。

最後に優れた教育が優れた人を造り、楽しい不安のない国を造ります。

戦争について

人間は昔から戦いの歴史の中で生きてきています。戦争は紀元前の昔から世界のどこかで今でも行われているのです。日本では、長い歴史の中で大きな戦いがなかったのは、江戸時代の約二百五十年間と第二次世界大戦後の七十七年間です。ではなぜ人間は戦争をするのかは、後の項目で書きますが、日本の戦争については、明治時代に入ってからの大きな戦争を取り上げて書いてみたいと思います。私も、戦争の歴史について勉強のつもりで少し本を読んで調べたのですが、詳細はわかりません。誤りがあれば、教えてほしいと思います。

明治時代は、江戸幕府の大政奉還で一八六八年から始まり、明治天皇が亡くなられる一九一二年まで続きます。

日清戦争（一八九四年～一八九五年）は、中国の清と日本の戦争です。ロシア帝国は、東アジアを支配しようと計画を進めます。多分、ロシアとしては大海に出るための不凍港が欲しかったのだと思います。日本は、ロシアがそこを足場に、日本へ侵略する事を危惧し、朝鮮半島を支配することを考えます。

一方、当時の清国は、朝鮮半島を属国と考えていたため、日本と衝突することになります。

この戦いは、日本軍の勝利に終わり、多額の賠償金（当時で三億円以上）と、中国の東側にある遼東半島と、台湾を譲り受けます。

一九〇四年日露戦争が始まります。この戦争は、日本とロシア帝国との戦争です。戦争の原因は、ロシア帝国の満洲の利権と、朝鮮半島の獲得です。日本としてはその時の戦力では、ロシア帝国に勝つ見込みは少ないことを感じていたといいます。明治天皇や、政府も真っ向勝負ではロシアに勝てないと分かっていたようです。

しかし、ロシアに東アジア進出をされるとのちのち大変なことになるため、奇襲や相手の手薄だったところを集中して戦う作戦に出ます。そして、短期でロシアを叩こうとしますが、なかなか思うように戦果があがりません。

多額の戦費を費やし、ロシアの太平洋艦隊の撃滅にも失敗して旅順港に逃げられてしまいます。

戦費に窮した日本は、国民に増税を指示したといいます。

また、その頃中国や、インドでの利益を脅かされていた同盟国の英国になんとか支援をお願いしました。更に、アメリカからも支援をもらい、その時点では、辛うじて日本が勝利したと言われています。

それに激怒したロシア皇帝は、当時最強と言われたバルチック艦隊の日本海出撃を決めますが、艦隊へ燃料の石炭補給を禁止した英国の手助けもあり、バルチック艦隊は、残りの燃料を心配しながらの戦いとなって日本海海戦で全滅する事になり、ロシア帝国は、仕方なく日本との講和交渉にのりだしました。

大正に入り、一九一四年ヨーロッパを主戦場にした、第一次世界大戦が始まります。

対戦したのは、ドイツ、オーストリア、オスマン帝国（トルコ）の同盟国と、イギリス、フランス、ロシアを中心とした連合国の戦いでした。一九一四年にオーストリアの皇太子が暗殺されたのが発端で、途中からアメリカ、日本も連合国側で参戦して一九一八年連合国の勝利で終結しました。

一九一九年、イギリス、フランス、アメリカ、イタリア、日本が中心となり、パリで講和会議が開かれます。その時に平和維持を目的とした国際連盟が設立されました。

一九三七年ドイツが行動を開始しました。ドイツのヒトラーは、東方に拡大政策をとり、オーストリアを併合します。

そして、チェコスロバキア、次に第一次世界大戦で欲しがっていたポーランドに手を伸ばしました。

イギリス、フランスはソ連のスターリンと手を結び、ソ連は日本を恐れていたため、ドイツと独ソ不可侵条約を結びます。

しかし、周りを固めておいてポーランドの侵攻を開始したドイツに対し、イギリス、フランスが宣戦布告をしました。このころは、国と国の思惑が錯綜し、複雑な関係の中で戦争が進んでいきます。

結局、ポーランドは、西はドイツ、東はソ連に支配されることになってしまいます。

ドイツはこの後、デンマーク、ノルウェー、オランダ、ベルギーへと侵攻し、そして、フランスにも侵攻して降伏させました。更にその後にイギリス本土への空爆も開始します。

一九三九年九月の英独戦争より、第二次世界大戦が始まります。

普通に考えると、ドイツがどれほど強かったか知りませんが、領土もかなり拡大したことですし、拡大したところの統治の問題も考えなくてはならないと思います。私でしたらここでイギリスに戦争を仕掛けるのではなく、反対に不可侵条約を結ぶことにします。

そして、どうしてもイギリスを攻めたければ、もう少し、体制を整えてから攻撃しても遅くはないと考えます。急《せ》いては事を仕損じるといいますから！

この頃日中戦争中であった日本も、長期化する対策として、一九四〇年九月、その頃勢いのあった、ドイツ、イタリアとの三国同盟を結びました。

そして、一九四一年十二月、日本は太平洋戦争に突入することになります。少し話しを前にもどしてみます。

第一次世界大戦で敗北して、領土を取られたドイツには、莫大な賠償金を払わなくてはならない立場に追い込まれます。

そこに、アメリカに端を発した世界恐慌がやってきました。イギリスやフランスなどの植民地を持った国では輸入品に高い関税をかけて自国の関係した国の中で経済を回して恐慌を乗り切ろうとしますが、植民地を持たないドイツやイタリアは、輸入品に高い関税をかけられ貿易がさらに悪化していきます。

それを打破するには、ファシズムという独裁政治によって、軍事力を強化して海外進出をするしか活路はないと考えました。

そこへ現れたのが、ドイツではヒトラー、イタリアではムッソリーニでした。そうしてドイツもイタリアも段々と勢力を拡大していきます。そこに目を付けた日本が、日、独、伊三国同盟を結んでしまいます。

一九四一年、これまで中立だったアメリカが、イギリスに武器の援助を始めます。そのため、ドイツは、イギリスをなかなか攻略できません。そこでドイツは、エネルギー資源の獲得に必要性を感じ取り、今まで結んでいた独ソ不可侵条約を一方的に破り、ソ連に侵攻していきます。

一方日本は、今まで多くの石油や鉄鋼をアメリカに頼っておりました。しかし、一九三九年頃よりアメリカは日本に対し日本経済への制裁をするようになります。更に一九四〇年になると一段と制裁は厳しくなります。

日本は、石油エネルギーや鉄鋼資源を求めて段々と南下していきます。名目は、東南アジア、南アジアの植民地を開放するというものであったようです（これを日本では大東亜戦争といったようです）。その頃はインドからインドネシアにかけてのアジア（中国を含む）では植民地になっていなかったのは、日本とタイぐらいでした。

日本は、アメリカに経済的に追い詰められていて、アメリカと戦わないと収まらない状況になってしまいました。

ドイツと同盟を結んだ頃から日本は、進む方向を間違ったといわざるを得ません。

アメリカとの開戦前、日本の政府（近衛首相）は、連合艦隊司令長官の山本五十六にアメリカと戦った場合の勝算を聞いたと伝えられています。山本は、アメリカに滞在もし、沢山の見聞をしていたと言われていますので、最初はアメリカとの戦争に反対したそうです。

山本は、食糧、戦力、資源、人数、経済、どれを取っても日本は、アメリカにはかなわないと言ったそうです。しかし、その後で、「どうしてもやれと言われるのなら、奇襲攻撃をして、一年から一年半位なら戦える、その後は保証しない」と、答えたそうです。

それで政府の上層部は、アメリカとの開戦に踏み切ることになります。また、今までの日本の戦歴を検討したアメリカは、時の大統領を始め政府の上層部も今のうちに日本を叩いておかないと、のちのち、面倒が起きるとも考えていたようです。

一九四一年十二月二日、山本五十六連合艦隊司令長官より「ニイタカヤマノボレ、ヒトフタマルハチ」の開戦電文が発信されました。発信は千葉県の海軍無線送信塔で、連合艦隊には長崎県の佐世保市の無線電信所を、潜水艦には愛知県刈谷市の依佐美の電波塔を、それぞれ中継して出されたと記録されています。

そして一九四一年十二月八日、明け方、日本はアメリカハワイの真珠湾を奇襲攻撃しました。一般的には、ここから日本とアメリカの太平洋戦争が始まったとされています。

これにより、同盟国のドイツやイタリアもアメリカに宣戦布告することになりました。

この後、イタリアでは、アメリカ、イギリスの連合軍に上陸されて、イタリアのムッソリーニが失脚、一九四三年九月、無条件降伏しました。

ドイツは、ソ連との戦いに敗れ、一九四四年連合国のフランス国ノルマンディー上陸により、どんどん追い込まれていきます。これにより、ヒトラーは自殺し、一九四五年ドイツも無条件降伏することになりました。

第二次世界大戦中、ナチスドイツがユダヤ人約六百万人を殺害したことは有名です。なぜユダヤ人がこんなにも殺害されたのか、ユダヤ人と直接戦争した訳ではないのに何故だろうと疑問に思う人も多いと思います。

ちなみに、第二次世界大戦（太平洋戦争）で亡くなった日本人は、約三百十万人と言われておりますので、ドイツの対戦国でないユダヤ人がなぜこんなに沢山殺害されたのかは宗教的な問題もありますので、別途機会があれば私見を話してみたいと思います。

さて、日本国の戦争は、第二次世界大戦の中で太平洋戦争と言われており、中国、イギリス、アメリカ、ソビエト連邦の連合国との戦いでした。

日本は、開戦から半年余りで東南アジアのほぼ全域と、太平洋の広い地域を勢力下においていたと言われていましたので当時は大変広範囲の領土を持つ大国でした。

しかし、一九四二年のミッドウェー海戦やガダルカナルの戦いで敗れてからは、劣勢となります。

私は、ここで不思議に思うことがあります。太平洋戦争開戦（真珠湾攻撃）の折り、アメリカとの戦いで戦争の勝算を聞かれ、戦うための戦術を練った連合艦隊司令長官、山本五十六がどうして、連合艦隊を率いて先頭で指揮をしなかったかです。

連合艦隊の機動部隊を率いて戦場にて指揮をしたのは、南雲中将でした。戦いの多かった日本の戦国時代でも、武者を率いて先頭に立ったのは、武士の頭でした。武田信玄、上杉謙信、今川義元、織田信長、徳川家康等々、総ての武将がここぞという戦いには出陣しています。だからといって総ての武将が勝ったとは言いません。

大切なことは、ここぞという戦いでは最高位の意思決定者が、その戦場を自分の目でみて、戦況に応じて迅速に判断する。戦術を考えた本人が、また総大将が控えた位置で采配を振るうこと自体、勝機を逸したと思われても仕方ありません。

連合艦隊司令長官の山本五十六は、これからの戦いは、航空戦になると読んでいて、そのためには真珠湾の奇襲攻撃では、一隻でも多くの空母を叩いておかねばならないと言っていたようです。

真珠湾攻撃では、それなりの戦果があったと思われていますが、本当の目的である敵の空母を一隻も撃沈することなく帰国しております。

これにより、その後の戦況が大きく変わることになります。

事実、翌年（半年先）のミッドウェー海戦では、敵（アメリカ）空母からの爆撃機の攻撃で、日本の空母、（赤城、加賀、蒼龍、飛龍、瑞鶴、翔鶴など六隻）や多くの戦艦などが大破し、四百機も出撃したとされる航空機も多くを失うことになります。

海と、空が中心の戦いで、戦力を持たない戦いは、だれが考えても勝算があるはずはありません。すぐに外交を通じて停戦に持ち込むべきで、その決断をするのが上に立つ人の取るべき態度だと思います。

その後、連合艦隊司令長官、山本五十六は、一九四三年四月、ブーゲンビル島（パプアニューギニア）の上空でアメリカ軍に撃墜されて戦死しております。

責任感の強い山本長官は、もう勝てないと判断したのではと思われます。今南方に飛べば間違いなくアメリカの爆撃に合うということを知っていての行動だったのです。

後では何とでも言えますが、どんな争いでも、会社経営でも言えることですが、何ともならないところまで引っ張って終わっては、打つ手はありません。惨めしか残りません。

しかしです、この戦争は、今生きている私達に素晴らしいことも残しました。それは、今、私達がこの世に産まれて生きているということです。

どういうことかと言いますと、この戦争で一般人も含めた多くの人が亡くなりました。多くの人の出会いも大きく変わりました。結婚する予定の相手が戦争に行ったため、結婚出来なかったり、戦争で結婚した人が亡くなったり、疎開先で、縁が出来て結婚したり、私の周りでも、沢山います。現に、私もそうです。母は疎開先や親戚を、あちこち移動して戦火を逃れていたと聞きました。父は終戦後三年して、外地より帰国しました。たまたま、見合い話がきて、迷ったり、選んだりすることもなく結婚したと聞いております。兄弟姉妹もその縁で産まれてきました。中には産まれても色々な事情で生き続けていけなかった人もいたと思いますが、私の場合は運が良かったと思っています。

私は、確率的に考えてもこの戦争がなかったら産まれておりません。ですから、私は、この戦争があったことを否定できません。戦後の厳しい状況の中で、育ててくれた両親には感謝しかありません。

さて、これを書くとかなりの反論があろうかと思いますが、敢えて書かせて頂きます。先日、原爆七十七年の慰霊の式典での挨拶の中で、こんなことを言った人がいました。「何の罪もない沢山の人達が原子爆弾で被災した」と！

国と国の戦争は、国民と国民の戦争であります。そんな戦争は、相手の兵器であれ、人であれ、土地、建物であれ攻撃します。これは犯罪にはならないのです。国と国が戦争をすれば、そこの国民も当事者となります。これは犯罪にはならないのです。例えば、現在の日本で三人殺害すれば死刑の宣告もありえますが、国と国との戦争では、沢山の敵国人を殺せば勲章ものです。

第二次世界大戦の頃は、相手を倒すのにこの兵器はいいがあの兵器は駄目だということはなかったのです。一発で多くの戦果が出せるのなら、その兵器を使うでしょう。

国と国の戦争は、強盗殺人やその道の人には失礼ですが、ヤクザの喧嘩とは違います。

戦争が始まると、戦地に行けばどんなことが起きるのか、実体験のない（私もないですが聞いた話です）戦後の若い人たちには感覚的に分からないと思いますが、戦地に行けば、二十四時間が戦いです。何日も続きます。敵にいつ襲われるか分かりません。ゆっくり寝ている訳にはいかないのです。過労死どころではありません。重篤なうつ病も発症するでしょう。恐怖と飢えにも悩まされることも覚悟しなければなりません。

だから、どうすれば戦争は起こらないか、国民と政府の役人、政治家が真剣に考えるべきです。自国だけで戦争は起こらないことも配慮しなくてはいけません。

太平洋戦争は、帝国憲法の下で行われましたが、国民も大変な責任を負わされました。

繰り返しになりますが、戦争は自分のところだけ注意すればいいのではありません。相手となる国にもしかけてこないような対応（外交）や自国の対策が必要です。

少し外れた例えになるかもしれませんが、小学校のいじめを見ていると、虐められている人は、虐められるような態度をとったり、友達が少なかったり、喧嘩が弱かったり、無理なことを押し付けられても反抗しなかったり、虐められる側にも責任があるように思います。

相手に対して優位に立つようにすることが大事でしょう。そのためには虐められている本人（組織、国家）がそのことについてよく分析して、状況や相手に応じた対応を取らねば解決しません。

例えば、虐める相手より強くなるとかです。時間が、他の誰かが解決してくれるもではないのです。

アメリカの原子爆弾投下については、色々言われておりますので聞いたことを書きます。

メッタ打ちに叩かれて、勝つ見込みのない日本に何故あんな悲惨な爆弾を落としたのか、落とす必要があったのだろうか！

いや、叩いても叩いても降伏しない日本に対するアメリカの最後通牒だったとか！

私は、アメリカの科学者達が、原子爆弾の威力を試してみたかったのだと思っています。科学者や技術者は、自分が開発した物や製造した物の性能は、確認したくて仕方がない生き物だと思います。ましてや、世界初の原子爆弾です。砂漠でいくら実験しても、目的の「人」でどうなるかは結果が出るはずはありません。元々戦争で使用するための開発ですから、間にあったわけです。

非公式な話ですが、最初に原子爆弾を考えたのは日本であると、戦後日本に帰国した軍の中隊長をされていた人から直接聞いたことがあります。大戦前から実験は行われており、ウランを求めて中国にも侵攻した（ウランは求めていた鉱物資源の一つ）と言っておられました。残念ながら実験中（戦時中）に爆発があり、大きい爆発で、研究室ごと吹っ飛んでしまい、関係者は即死だったとか！

殆どの資料がなくなり、僅かばかり残った資料は解読出来ないような記号なんかが書かれていたようです。困り果てた日本は、同盟国だったドイツに解読をお願いしたと聞きました。

他にも日本は兵器としての壮大な研究テーマ（原子爆弾より格段にスケールの大きい衛星兵器）があったと聞きました。

そして、その後、ついにアメリカが最初に原子爆弾を開発します。アメリカは完成した原子爆弾を大戦中のドイツに落とすはずだったのですが、ドイツ実行する前に日本より先に降伏してしまいました。落とされていたなら、ドイツ国民には甚大な被害が予想されました。

しかし、日本は、まだ戦っていました。日本が降伏する前にと、アメリカは焦ったことでしょう。

一九四五年八月六日広島に、八月九日長崎に（噂の話ですですが、広島の次は小倉に落とすことになっていたのですが、当日もやっていて、目標が定まらず、急遽長崎に変更したという話もあります）、それぞれ違う種類の原子爆弾が投下されたのです。日本は、慌てふためくばかり、アメリカは、この状況を克明に記録して残しております。違う種類の爆弾の威力を試したのです。落とされた所の人々は大変な被害を受けました。

直ぐに亡くなった人も気の毒ですが、火傷をして、放射能を浴びて、長い間苦しんだり、二世、三世に被爆症状が現れて長い間闘病生活をしておられる方々には、気の毒で、誰を恨んでいいのかわからないことでしょう。

一度しかない人生を、取り返しのきかない人生を！

私の従兄弟も長崎で被爆して、長い間、白血病で苦しんでいました。そのうち体のあちらこちらから出血が止まらず、若い命を落としたと出産した伯母から聞きました。

話は前後しますが、壊滅的になった日本に終戦六日前の一九四五年八月九日、今まで日本を恐れて日ソ中立協定を結んでいたソ連が協定を破り、日本に参戦をしてきます。

日本は一九四五年八月十五日、無条件降伏をします。この時点で第二次世界大戦（太平洋戦争）は終結しています。

しかし、日本が無条件降伏したにもかかわらず、ソ連軍は、日本が占領していた満洲に攻め込みます。その後、五十万人とも言われる日本人を捕虜としてシベリアに連行して、極寒の地で、森林伐採や炭鉱での石炭採取に労働者として働かせました。シベリア抑留です。また、南樺太や北方領土にも進軍しました。白旗を上げた日本国には守る術はありませんでした。

この後、戦後裁判でアメリカ、イギリス、中国、ソ連に裁かれることになります。当初全日本を四分割にして戦勝国に分けるという話があったようです。もし、そのようになっていれば、今の日本はありませんでした。

四分割とは、北海道と東北をソ連、本州の中央部をアメリカ、四国を中国、中国地方と九州をイギリスで統治するというものです。

確かな話ではありませんが、アメリカ合衆国のマッカーサー司令長官が分割統治に難色を示したそうです。それでもソ連のスターリンは、北海道のソ連占領案を強引に進めてきたと言われています。

しかし、アメリカ合衆国のトルーマン大統領がこれを即刻拒否し、最終的に、沖縄をアメリカの占領地にして、日本政府を介したアメリカ合衆国の間接統治となったようです。

ソ連は、南樺太、北方四島を戦利品としてもらい受けております。戦後日本は、北方四島を返還するようにソ連に申し入れているようですが、返還？　おかしいと思います。

例えば、投資やギャンブルで負けたお金を元々は私のものだから返してくれ、というのと同じように思います。戦争に負けて裁判でソ連の領土と決まったのですから、その後ソ連との間で領土に関する何かの約束があったのなら分かりますが、相手が返還しないと言うのなら、相手の気分を悪くするだけなので、無駄なエネルギーや、時間を使うのはおかしいのです。本当に残念ですが国家間の戦争とはそういうものだと思います。

その後、アメリカ合衆国と日本国で日米安保条約が結ばれ、沖縄の日本国への返還が行われました。

この時の日本の内閣総理大臣、佐藤栄作にはノーベル平和賞が贈られています。私は、アメリカの戦略的なものとアメリカのシタタカさに感心します。このことにより、アメリカは日本中（北海道から沖縄まで）に百三十ケ所という米軍基地をつくることになりました。このうち米軍の専用基地は八十一ケ所です。この専用基地には、日本は勝手に入れません。

莫大な領土をアメリカに提供しています。そしてその維持費も日本の国家予算に組み込まれています。今や日本はアメリカ合衆国に占拠されているといっても過言ではありません。

といっても私個人とすれば、こんな日本国だから安心して好きなことをして生活が出来たのだから日本人で運が良かったと感じております。

長い歴史の中で、アメリカはテロを除いて一度も本土を攻められたことはありません。日本はあの太平洋戦争で初めてアメリカに本土を攻められました。太平洋戦争を始めたのは致し方なかったにしても、終わり方が、お粗末中のお粗末で、戦争をした日本の政府の上層部は、「貧すれば鈍する」を最悪で行なった結末だったとしか言いようがありません。

戦争は勝った方の国民も、負けた方の国民も悲しい結末しかありません。人間がいる限り戦争はなくなりません。

今後もロシアのウクライナ侵攻のように、突然攻め込まれ、それこそ何の罪もない人々が悲惨な目にあうことは起こり得るのです。アジアでは中国の台湾侵攻も起こり得るかも知れません。そうなれば巻き込まれないことはないのです。その時の日本国は？

国の戦争は、必ず特定の人によって起こされます。国民の総意で行われる戦争はないのです。国民はそれに従うだけです。

国の安全を確保するためには、相手国が震え上がるような兵器を一つ持っていると心丈夫ですよね。

　これからの日本は、国内借金も多く、外国にもの言えない今の政治家では国家を導いて行くのは無理だと思います。新しい認識を持った若者が日本を安全に、そして平和であり続ける国へと引っ張って行くことを願うしかありません。

宗教について

人類は多くの人が何かに頼らないと生きていけない生き物のようです。抑え、導くための何かがなければ暴走する生き物なのです。
現在の世界の人口は約八十億人、そのうち宗教にかかわっている人は五十億人以上と言われています。三大宗教だけでも、キリスト教約二十四億人、イスラム教約十九億人、仏教約八億人、その他にも宗教と言われているものが世界中に沢山あるようです。

私は、無宗教ですが、キリスト教や仏教、創価学会の知り合いもいて、長年お付き合いしている人もいます。ここでは、少し私見を入れて話させて頂きたいと思います。

二〇二一年、二〇二二年と両親が他界し、親戚の人などに聞きまして、仏教の宗派を教えてもらって、葬儀を行いました。

通夜、葬儀、四十九日法要、納骨、初盆とお付き合いするうちにお経《きょう》を聞く機会が増えました。

また、お坊さんに合わせて声を出して読経もしました。

不思議に、お坊さんのお経が歌を歌っているように聞こえるときもありました。

私は、宗教については無神論者で専門的なことは分かりません。勉強するつもりで少し調べてみましたので、宗教を話す上で三大宗教について少し書かせてください。

まず、イスラム教ですが、日本ではあまりなじみのない宗教です。

サウジアラビアを発祥の地として七世紀初頭（六一〇年頃）にアッラーの神から啓示をうけた、最初の預言者とされるムハンマドにより創設されたと言われています。

ムハンマドの神より受けた啓示をまとめた啓典がコーランで、このコーランに基づき信仰が営まれております。

また、イスラム教では、イエスキリストも預言者の一人として認めているとも言われています。

イスラム教は、日々の神への服従を行動に表すため、一日五回のお祈りをすることが義務づけされています。そして、一生に一度は聖地（メッカ）に行くことが定められているそうです。

多分、乱れていた世の中で、人々が余計な悩みや考えをしないようにということでしょう。

神の啓示としては、現世では人間社会の生き方、規範、崇拝行為の規定があるようです。この中でも最も重要な行為がアッラーの神だけを礼拝するという行為だそうです。

偶像崇拝は厳禁です。また、豚肉とお酒も禁止にされています。

来世では、死後の生命、天命、運命や死後からの復活が定められているそうです。

キリスト教は、ユダヤ教の改宗とも言われておりますので、先に少しユダヤ教について書いておきます。

ユダヤ教は、キリスト教の母体となっている宗教ですが、紀元前一二八〇年頃唯一神ヤーウエ（ヤハウエ）を神として、イスラエル民族のアブラハムの子孫であるユダヤ人に伝えられた宗教です。

ユダヤ人を神から選ばれた民族としています。

ユダヤ教の出来事として、モーゼの指導により、ユダヤ民族がエジプトから脱出し、シナイ山においてヤーウエ（ヤハウエ）と契約を結んだとしています。これが紀元前十三世紀頃だそうです。

契約とは、聖なる民族となるための教養、慣習、倫理等の教えを啓示されたということです。

契約の中には、ユダヤ人の安息日があり、金曜日の日没から土曜日の夕刻までは、一切の仕事に従事することを禁じています。

ユダヤ教は、旧約聖書が聖典です。旧約聖書は、神と人間との間に結ばれた古い契約なのです。

また、旧約聖書には神の働きも書いてあります。この世は、創造主（神）が造られた。

創造主とはヤーウエ（ヤハウエ）のことです。

有名な話なので簡単に書かせて頂きます。

創世紀

①はじめに神は天と地を創造された。
②地は形なく、闇が覆い、神の霊が水の表を覆っていた。
③神は光あれと言われ、光があった。
④神は、光を昼と名付け、闇を夜と名付けられた。
一日目が終わった。
⑤神は水の間に大空があって水と水をわけよと言われた。
⑥神は大空を天と名付けられた。
二日目が終わった。

⑦神は天の下の水は一つに集まり、乾いた地が現れよと言われた。
⑧神はその乾いた地を陸と名付け、水の集まったところを海と名付けられた。
⑨神は、地に青草と、種類に従って種をもつ草を種類に従って種のある実を結ぶ木を生えさせた。
三日目が終わった。
⑩神は、大空に光があって昼と夜と分けしるしのため、季節のため、日のため、年のためになれと言われた。
⑪神は、二つの大きな光を造り、大きい光に昼を司どらせ、小さい光に夜を司どらせ、また、星を造らせた。
⑫神は、天の大空に置いて地を照らさせ、昼と夜を司どらせ、光と闇とを分けた。
四日目が終わった。
⑬神は、水は生き物の群れで満ち、鳥は地の上、天の大空を飛べと言われた。
⑭神は、海の大いなる獣と、水に群がる生き物を種類に従って創造され「産めよ、増えよ、海の水に満ちよ、また、鳥は増えよ」と言われた。

五日目が終わった。
⑮神は、地は生き物を種類に従っていだせ、家畜と這うすべての物を種類に従って造られた。
⑯神は、自分のかたちに人を創造され、海の魚、空の鳥、家畜と地のすべての獣、すべての這うものを治めさせた。
⑰神は、人を男と女に創造された。
⑱神は、彼らを祝福して、産めよ、増えよ、地に満ちよ、そしてすべての物を治めよ、これらの物は、すべてあなた達の食物となろうと言われた。
六日目が終わった。
⑲神は、こうして天と地とその万象を完成された。
⑳神は、七日目にすべての作業を終えられて、第七日には休まれた。
また、神のなされた中で、特筆しておかねばならないのは、「神が、人を眠らせあばら骨の一つを取って、そのところを肉で塞がれた。主なる神は、人から取ったあばら骨でひとりの女を造り、人のところへ連れて来られた。男がアダム、女はエバ（イブ）この人たちから人間の子孫が生まれた」ということです。

キリスト教は、ユダヤ教を母体としたものですが、神の子イエスキリストは、ユダヤ人だけではなく多くの人々に対して教えを説いたものです。

今では、カトリック、プロテスタントなど多数のキリスト宗派や、聖書を学ぶ会等もあるようです。

イエスキリストが説いた言葉や行いを、後日、使徒たちが書いたものが新約聖書です。

新約聖書には、イエスの生涯や、死からの復活の記録が書かれた四つの福音書《ふくいんしょ》（マタイの福音書、マルコの福音書、ヨハネの復音書、ルカの福音書）と使徒への手紙（ヤコブの手紙、ペトロの手紙、ヨハネの手紙、ユダの手紙、パウロの手紙）等も書きこまれています。

そして、最後の一書には、ヨハネの黙示録が西暦九五年頃に書かれたとされています。

この黙示録には、終末に起こるであろう出来事が書かれているそうです。

キリストの再臨と神の国の到来、信仰者の勝利が書かれている（命の書に名前のある人は、神と共に住み、涙をぬぐわれる、死もなく、悲しみもない。命の書に名前の無い人はすべて火の池に投げ込まれる)。

また、終末にはサタンが出てくるとも書かれています。

そして、終末には七つの災いが起きると書いてあります。
①獣のしるしを付けた者、獣の像を拝む者に悪性のはれものが出来る。
②海が死人の血のようになって、海の生き物がみんな死ぬ。
③水が血に変わる。
④神を冒涜し、悔い改めない人間が太陽の火で焼かれる。
⑤獣の国が闇に覆われて、激しい苦痛を受ける。
⑥しるしを行う三匹の悪霊が、ハルマゲドンに王たちを集める。
⑦大地震が起き、島も山も消える。
つまり、神を信じる者は救われて、信じない者は地獄へ行くとされています。

キリスト教では、洗礼(神を信じる)を受けると別の名前が与えられるそうです。その名前が与えられたか与えられていないかで、死後の行き先が分かれるようです(宗派により少し違いはあるようです)。

私も、何人ものキリスト教徒や、聖書を研究する人達に、「キリストを信じないと地獄に行くのか」と聞きましたら、「そのように神様が言っておられる」と言い切りました。

神は、神を信じない人間は地獄（?）に落ちると言っているのでしょう。後になりましたが、イエスキリストの生まれた年が、世界で使われています西暦の元年になっています。神が仕事を終えて休まれた七日目がカレンダーの一週間の七日目、日曜日です。

仏教は、紀元前五世紀頃にインドの釈迦を開祖として生まれた宗教です。東アジア、東南アジア、南アジアなどで広まり、今ではアメリカやヨーロッパにも信者が増えております。

よく仏陀《ぶっだ》という名前を聞きますが、仏陀と呼ばれるのは釈迦だけだそうです。釈迦は人間です。アメリカ、ヨーロッパ、中東などで信仰されている神とは違います。釈迦は、菩提樹の下で悟りを開き、八十歳で亡くなったと言われています。

仏教の教典は、仏典と呼ばれるものですが、代々の弟子たちによって受け継がれて書かれてきました。

日本には、インド、中国を経て紀元六世紀ごろ伝わりました。

仏教の教典を見ると、殆どが漢文です。一部分かりやすくするために日本語で書かれたものもあるようですが、読経となると、漢文のお経のほうが重みもあり御利益があるような気がします。

日本の宗派は、天台宗、真言宗、浄土宗、浄土真宗本願寺派、真宗大谷派、曹洞宗、臨済宗、日蓮宗の八宗派が主な仏教ですが、他にも色々な宗派ができており、小さい宗派まで数えると、かなりの宗派があるようです。

今の仏教は、日本の国では生活にかなり根付いたものとなっております。葬式、法事など先祖に関わることから、人の生き方、修業まで関与しております。

仏教の本質は、この世は苦しみに満ちている。苦からの開放を目的としたものです。

四苦八苦という言葉を聞いたことがあると思います。「あー、今日は〇〇で四苦八苦したよ！」みたいな、この四苦八苦が人間の殆どの苦しみです。

四苦、これは、生、老、病、死、この四苦が最も大きい苦しみとされ、字の如く、産む生まれる時の苦しみ、老いていく苦しみ、病気になる・なったときの苦しみ、そして、死に向き合い死んでいく苦しみです。

残りの四苦は、愛別離苦《あいべつりく》、怨憎会苦《おんぞうえく》、求不得苦《ぐふとっく》、五蘊盛苦《ごうんじょうく》、これで八苦、避けようとしても避けられない苦しみ、その苦しみと真っ向から向き合いその苦しみを超越し解脱することを、釈迦が説いたものが仏教の教えになっております。

簡単に言うと、苦しみからどう抜け出すかを説いています。

自分が苦しんでいる原因をはっきり理解して、その苦しみを和らげるための正しい理解をすることにより、穏やかな心を会得することだと教えています。

私は、自分自身の苦しみは、自分自身で作り出しているものだと思っておりますので、自分で解決出来る事だと信じています。

キリスト教や、イスラム教が、神に祈り神の救いを頂くのに対し、仏教は自分で苦しみに立ち向かい、自分を高めながら自分の心を治療するという宗教です。

少し長くなりますが、仏教の歴史について簡単に書きたいと思います前にも書きましたが、仏教は紀元前五世紀頃、釈迦により生まれました。その後の紀元前後の中国、漢の時代にガンダーラ（パキスタンやアフガニスタン）を通って入ってきました。中国の歴史書三国志はこの頃に書かれたようです。中国では仏教に、儒教や道教の思想を取り入れた経典もこの頃多く生まれました。

漢の滅亡が二〇〇年、隋の成立が六一八年、この約四百年の間に老子、荘子の言う無為自然を重視し、荘子の「無」の思想と、般若経の「空」を取り入れます。そして、魏や晋の時代から哲学的仏教が開花します。（少し飛びますが、その後日本では、法華経は最澄の天台宗の基礎となり、阿弥陀経は、浄土宗の経典となります。）

仏教を奨励した武帝（五〇二年即位）はインドから達磨《だるま》を迎えて、禅を広めました。この禅は後に中国独自の禅となって、長く栄えたと言います。

西遊記のモデルとなった玄奘《げんじょう》（六〇二～六六四年）は、仏教学を研究しておりましたが原典に基づいた研究をするため、六二九年からインドへ求法の旅へと出かけたと言われています。

その後インドより沢山の経典を持ち帰り（六四五年）朝廷の庇護のもと、中国最盛期の仏教時代をつくっていきます。

玄奘は、インド経典を沢山翻訳し（千三百四十七巻）、旅行記は七世紀前半の中央アジアやインドの地理、風俗、文化、宗教等を知る上で貴重な文献となりました。

また、この時代は華厳宗《けごんしゅう》の法蔵や、浄土宗の善導など様々な人物が活躍しました。

その後の中国仏教は、衰退していきますが、禅宗と民衆に分かりやすい浄土宗は残っていきます。そして、唐代以降の中国仏教思想は段々と薄くなっていく一方だったと言われております。

日本には六世紀頃に伝わったと書きましたが、その後、急速に普及していき豪族の間で各地に寺院が建立されます。寺院は、それぞれの氏族の先祖を祀る目的で建てられたようです。

仏教伝来から聖徳太子の時代は、飛鳥時代と言われ、聖徳太子の制定した十七条憲法は、仏教や儒教を参考にしてつくられたと言われております。

その頃の仏教は国家仏教とされ、国家を鎮護する目的のものでした。ですから、寺院も国家中心で建立され、僧侶も官僚の一部とされ行動にも制限があったようです。

奈良時代に入り、聖武天皇は、国の安定と平和を願って全国に国分寺を建て、東大寺には有名な奈良の大仏を建立しました。

その頃は、中国の唐とも交流があり、遣唐使が遣わされました。僧侶も自由に日本と中国を行き来出来ました。

そのおかげで最新の仏教学が日本に入ってきたのです。有名なお寺で興福寺は法相宗、東大寺は華厳宗、唐招提寺は律宗が中心となって活動しており、現在に至っております。

唐招提寺は、鑑真が建立したものです。鑑真は、唐から呼ばれて来た僧侶で、戒律を設けたそうです。

戒律とは、仏教で僧侶が守らなければならない修業や生活上の規律です。

しかし、戒律を無視して出家する「私度僧」が現れます。その代表が行基です。この人は、庶民のために仏教を説き、社会奉仕活動に従事しました。それを知った朝廷も行基の助けを借りて大仏を建立します。そして、日本で最初の「大僧正」という僧侶で一番高い地位についた人です。

その後、現れた空海も最初は「私度僧」でしたが、中国に渡り密教を学び、日本に戻ってからは、密教を広めます。

そして、平安時代は密教が中心となります。

密教は、インドのヒンドゥ教の影響を強く受けて成立したと言われる仏教で、生きている段階で成仏出来るという即身成仏の思想です。

日本の密教は、大きく二つに分けられます。

最澄の天台宗系の「台密」と、空海の真言宗系の「東密」です。

最澄は唐に渡り、密教、禅、戒律を学び、帰国後比叡山に延暦寺を建立します。そこで天台宗を開きます。

空海も唐に渡り、密教を学び高野山に金剛峯寺を、京都に東寺を建立しました。

天台宗では、最澄の後に円仁や円珍が唐に学びに行き、密教を伝えたと言われております。円仁は、密教の他に念仏も伝えたそうです。

比叡山では天台の他に、密教、浄土教、禅等も学べる学校が造られ、鎌倉時代になると浄土宗や日蓮宗が誕生しました。浄土宗の開祖法然や、日蓮宗の開祖日蓮も比叡山で学んだと伝えられています。

奈良時代の仏教は鎮護国家と学問を中心としていたのに対し、平安時代の仏教は現世利益を主とした貴族の仏教でした。

平安時代から鎌倉時代は、貴族社会から武家社会と移行し、戦乱も起きるようになります。そして、鎌倉時代は一般民衆を対象として救いを説く仏教に変わっていきます。

社会不安が大きくなり即身成仏ではなく来世に極楽往生して成仏する浄土思想が普及します。

そして武家社会が誕生した鎌倉時代は、仏教界も新しい動きが出てきます。

一つ目は、禅を主とした栄西が開祖の臨済宗と、道元が開祖の曹洞宗です。

二つ目は、法然が開祖の浄土宗、法然の弟子親鸞が開祖の浄土真宗です。

浄土宗と浄土真宗は、「南無阿弥陀仏」と唱えることで死後、極楽浄土に行けるというものです。

その後、踊りながら念仏を唱える時宗を一遍が開きます。また、鎌倉時代後期には、日蓮が、教えを法華経に求めた日蓮宗を開きます。

室町時代になりますと室町幕府と結びついて臨済宗が盛んになり、中心仏教となります。

同じ禅宗の曹洞宗も地方で大きな勢力を持つようになったようです。

浄土宗系や日蓮宗も色々な布教活動は行われていたようです。

江戸時代になり、仏教は江戸幕府の統制下に置かれ、各家庭では葬儀や法事などは、関係のある寺院で行うのが当たり前となります。

明治時代以降は、欧米との開国の影響もあり、天皇、神道を重んじた近代的国家へと向かって行きます。

神道の影響を受けた新興宗教も生じました。江戸幕末にできた天理教などはその一つです。

明治政府は神仏分離を進め、神社と寺院を区別して、神道を国家の中心的ものとします。

これにより仏教界は、大きな打撃を受けたと言われております。

昭和に入り戦争が進むに連れて、仏教も国家主義に迎合しなければならなくなったようです。

ここで日本に根付いている神について、是非お話をする必要があると思いますので書いておきます。

神道は、日本の民族宗教であり教典や教えはありません。神話、神社、そして自然、山、川、岩、海等の八百万《やおよろず》の神が神様なのです。

神と人間をつなぐ作法が祭祀で、祭祀を行う場所が神社です。神社は神が宿る場所であり聖域とされていて、日本人の暮らしに深く溶け込んでおります。

仏教では、亡くなった方の葬儀、火葬、納骨を行い、亡くなった方は先祖の霊とともに家にとどまり（仏壇があります）、遺族の守り神となって子孫のことを守り続けるとされています。

神道は、人はみんな神の子で、神の計りで胎内に宿り、この世での役割を終えると亡くなります。そして神の住まう世界に帰ると言われています。

古事記や日本書紀には神道に通じる神話がのっています。日本の国造りと天皇家の歴史の話です。

神話ですから真偽のほどは分かりませんが、天には高天原という神々が住む天上世界があり、後にイザナギ、イザナミという神が登場して国生みの物語が始まったと書かれています。

日本にまだ国がなかった頃、イザナギとイザナミの神によって多くの神々が誕生します。

その一人に高天原を統治する天照大神（アマテラスオオミカミ）がいました。天照大神は、天井世界を治める太陽を司る女神となり、現在は天皇の祖神として伊勢神宮の内宮に祀られています。

天照大神は、国造りのため、孫である瓊瓊杵尊（ニニギノミコト）を宮崎県高千穂の峰に使わします。神の降臨です。この時天照大神から授かったのが、三種の神器（鏡、剣、勾玉《まがたま》）と呼ばれております。これから国造りが始まります。最初は淡路島です。それから四国、隠岐の島、九州、壱岐の島、対島、佐渡島、本州と順に造っていったと書かれています。

また、瓊瓊杵尊が降臨されるとき、その道先を案内したのが猿田彦（毘古《ひこ》）の神で、道開きの神と言われ、今では、家の新築、会社の社屋や工場の新築での地鎮祭のお祓いをして頂くことも多くあります。

瓊瓊杵尊の曾孫、神武天皇が日本での初代天皇です。

現在の天皇は、初代神武天皇が、紀元前六六〇年二月十一日（建国記念日）に橿原の地に即位されて、現在の一二六代徳仁天皇まで一度も天皇制が途切れる事もなく続きました。こんなことは他の国にはありません。

天皇の歴史は日本の歴史そのものだと思います。


宗教は、人々の混乱を鎮めるために造られたもので、けっして人々を陥れるために造られたものではありません。

古い時代には、国や組織を平穏に治めるために、国家や権力者がそれなりの人間を使い、民衆に教えを広めていました。

そしてそれぞれの教えを、長年代々の信者により言い伝え、書き伝えられながら、代々引き継がれてきました。そして長年の間に、その時代にあった教えに変えられながら発展してきたと思われます。

ただ、残念なことに、その宗教を守るためにこれをしないと地獄に落ちる的な信仰を広める人たちも現れております。人は死んでも決して地獄に落ちることはありません。地獄に落ちるとの言い回しは、そう言って恐怖に思わせないと、人間という生き物は自制することが出来ないからなのです。

また、お金を強制的に要求する宗教を語る団体は、詐欺集団で間違いないので注意しましょう。

人間心が狭くなると、そんな詐欺集団にも簡単に誘導されてしまいます。

宗教は、決してお金や物品を要求しません。

なぜならば、人の心を安め救う教えだからです。

ここで断っておきますが、宗教団体も関わっている人は人間ですから衣、食、住は必要です。心ばかりのお布施や寄付は必要でしょう。お金か代わる何かはなければならないと思います。

ただ、この境がはっきりしていないため、詐欺者や団体が大きな顔をして金銭を要求してきます。そして普通の教養を持った人なら分かるはずのことでも受け入れてしまいます。例えば、断れば苦しんでいる先祖が救われないとか、この先悪いことが必ず起こるとか、死んだら間違いなく地獄へ落ちるとか、幼稚な言葉を並べて相手を脅していきます。

他にも、神のために、爆弾を体に巻いて自爆（テロ）して敵を殺すと、神のそばに行けて永遠の生涯を楽しく暮らせるとか、汚れた汚い水でもこの水（聖水）で身体を清めたり、のんだりすると神に守られるとか、普通の教養のある人だと（昔の人は信じたのでしょう）分かるはずのことを押し付けてくる団体もあります。

まず、お金の話や、条件の付いていることがあれば間違いなくおかしいので注意してください。

私は決して宗教を否定するものではありません。宗教は人々の生活には必要なものだと思います。今や文化と言えるものだと思います。苦しんでいる人、何かに迷っている人、生から逃げようとしている人には必ず救いとなるでしょう。

宗教は詳しいことを深く知らない方が、心安らぐ場合が多いのは確かです。人は一人ではありませんよ。

政治について

国を造るのは政治です。人を創るのも政治です。そして国を守り、国民を豊かにするのも政治です。

ここ三十年来の政治は停滞気味、というより政治家が低質化しています。二〇一二年末の第二次安倍内閣から若干経済は良くなり、完全ではないですが、デフレからの脱却も進んだようですが（まだデフレ）、相変わらずの低金利政策は続いています。

私は、金融緩和は今でも正しいと思っております。大きな金融引き締めは経済を弱体化させ、企業の成長にマイナスだと思うからです。

その前の民主党政権は、民主党前の自民党政権より最悪というまとまりのない素人政権で、日本の国は諸外国から呆れられ、国民の生活も悲しいものでした。

勿論二〇一一年の東日本大震災があり、あたふたした政治になったのは、民主党政権にとっては誤算中の誤算だったといえるかもしれませんが、その対応がまた、目を覆うようなお粗末さには、動物園の騒動にしか思えませんでした。私にしてみれば「更に後退した日本国をどうしてくれるの？」と言いたいくらいです。

ただ、その前までの自民党の政権が国民の期待を裏切るような政治をしてきたために、やむを得ず、民主党政権になっただけで、それまで「我が党に政権を」と長年言い続けてきた民主党政権に運悪く替わったことでした。本来から言えば長年政権を獲るのが夢だった政党で今までの自民党のお遊び政権に、どうだ！と言う政治をやるだろうとの国民の期待も少しはあっただろうに、人材の、いや、政治家としての全く能力のない政党に渡してしまった日本国民は、もう、その政権に替える事はしばらくないと思います。

それ見たことかと自民党政権になっても、安倍さん以降は、周りを気にして決定権のない政治が行われている気がします。少しきつい言い方になりましたが、他の野党は立憲も含め、更に悲しく、建設的な施策も少なく、与党を批判するのが政治家の仕事と勘違いしており、日本の行く末を心配しております。野党の仕事は、与党の出した試案をさらに分析した、一つ先を行く案を提示することです。ですから与党より、難しい立場でいなければなりません。選挙闘争で負けた野党こそ、与党を超えた政策の立案が出来る政党であるべきです。

野党の弱い国はどこもの国も芯がなく不安定で、あたふたした国が多いようです。与党のやりたい放題です。その単独政権が国民や国のためになる政策をドンドンやって行く国であれば、言うことのない立派な国なのですが。

さて、政治というのは国を丸く治めるのが政治家の仕事です。今の政治家は、政治をすることより国民の税金を我が物顔で使い、選挙に当選することばかりを考えています。政治がそうだから民間や、国の関係する団体の役員、理事辺りが平気でわいろを貰い、イベントが成功することより自分の面子や懐勘定を優先させています。これは、日本国民の政治家を見る目のなさがそのような国にしてしまったのだと思います。

今、日本で生活が苦しいとか、自分は不幸だと思っている人がいれば、多くはその人たちの責任かも知れません。

日本の政治は江戸時代まで鎖国をしていて自国で全てを賄っていました。これはある意味凄いことです。全て他国を頼らずやってこられたのですから。

江戸末期になり、頻繁に外国船が来るようになり、開国せねばならなくなりました。そして日本国が外国に遅れていることを、思い知らされます。遅れているということは、外国に牛耳られるということです。幕末から明治時代の人達は、国を思う人たちの集まりでした。自分の命をかけても、と言う人が沢山いたのです。

今の平和ボケした時代とは違いました。皆が必死だったのです。そして追いつけ、追い越せで、世界と肩を並べるようになりました。

これは、正に政治の力なのです。

第二次世界大戦後は、戦後日本の復興を願い政治も国民も頑張り、三十数年前世界第二位のＧＤＰで、アメリカが脅威に思うくらいの成長をしていました。

しかしその成長も長く続きません。お金余りで、各企業は沢山の不良債権を抱えるようになります。政府もやらせっ放しで管理を怠ります。戦争でも、バブル崩壊でも必ず事前に兆候が現われるのは確かなことです。

これらに気付かない日本に堕落の道が待っていました。人間後がなくなると踏ん張って何とかしなくてはと思考と行動が現れるものです。

そのうち段々と、不良債権もなくなっていきました。倒産する会社もある中、生き残った会社は健全経営へと舵を切っていきます。

そして大きな会社ほど先の安全をみて、内部留保を蓄えるようになります。

政府はと言いますと、ゆでガエルではないですが、危機感のない政治を当たり前に、何年も続けております。毎年、毎年、当たり前のように国家予算は増え続け、竹下首相から始まった消費税も、三パーセント、五パーセント、八パーセント、一〇パーセントと段々上がり、老人の年金は、逆にだんだん下がり、国家の財政赤字も千数百兆円と、まともには返せない金額になりました。

これは、全て日本国家の政治家がやったことです。能力のない政治家が集まると、何か問題が起こるとすぐ担当大臣を置き、スタッフを増やします。お金もかかりますし、ちゃんとしようと思っているのでしょうが、時間もかかります。それを当たり前として、誰も異議を唱えず進みますので、まともな対策が取られているのか判断する人もおりません。

いたとしても、初めてのことなので、と、そのままで忖度します。例えば、新型コロナ対策などは、みんながそんなもんだとか、関係ないのに変なことを言うと、自分の立場が悪くなるなどで、対策が後手後手に回り、六派や七派、と何度も繰り返し患者が増えます。対策でも、他の国との比較などで、ちゃんとやっていると納得しているようです。これは、指導している国、厚生労働省の、対策の悪さが、そのまま国民を不安にさせ、不幸にしています。お金（経済）か命かの基本がわかりませんか？　二兎を追うのは、優れた政治家でも、かなり難しいのです。どちらかを捨てなさいと言っているわけではないのです。

新型コロナは疫病です。医者の意見が全てではありませんが、政治家がその人たちの意見を真摯に聞く姿勢が大事なのに、いろんな人（学者や評論家）の利権に絡んだ声を聞くものだから、判断を誤りました。それと政治家は自分たちが気を抜いた対策をしたことに気付いていないのです。

これは、国民からしたら、政治の判断に任すしかないので、結果でしか言えませんが、間違い、と後手と、対策スピードの遅さ、予算の大盤振る舞いでしかなかったと、言わざるを得ません。このような疫病は、他国との比較ではないのです。全てを正解にすることはできませんが、今回の中国の対策は政治の対策として少しは頷けます。

人の命は亡くなれば帰ってきません。しかし経済は壊滅しない限り戻すことは出来ます。そのためには政治家は、国民の意見を聞くのではなく国民を説得するだけの施策をもって事に当たる努力と、覚悟が大事です。

一九九五年一月に阪神淡路大震災が起こりました。この時多くの阪神地域や淡路の人々が亡くなりました。亡くなった人だけで六千人以上と言われていますが、その半数以上は、震災で発生した火災や、生き埋め、建物の下で負傷して出て来られなくて死亡していると言われました。

時の総理大臣は、素早く自衛隊を動かして救助にあたるべきなのに、動かなかったのです。理由として自衛隊法があり、国会の議決が必要だと。どんな法律も人の命に勝る法律はありません。時の首相ならば尚更、即座に自衛隊を動かして、消防車、救急車の入れない所にはヘリコプターなどで、救助隊員はもとより、水、食料、テント等など、即座に行動できなかったのか、不思議でなりません。危機能力の欠如で多くの人が亡くなったのです。本来なら助かる命も帰ってきません。

私なら、周りが何と言おうが私が全て責任を取る、一段落したら辞任するのでここは私が人命救助を第一に行動する、「私もヘリで現地に行くからすぐに自衛隊を動かしなさい」と指示します。「すぐ動かないと沢山の人が死ぬぞ！」と大声で指示します。

拡声器をもって、現地で指示しまくります。一段落したら、批判する大勢の人もいるので、解散総選挙、多分そんな首相のいる政党は第一党になるのではないでしょうか。

ＪＲという旅客会社をご存知でしょうか、この会社は民営化する前は、日本国有鉄道（国鉄）という名前で、国の管理（一〇〇パーセント政府の出資）で運営されていました。一九四九年から一九八七年まで約三十八年間の公社でした。

その間の累積赤字は三十七兆円以上と言われていました。当時の金額ですからびっくりです。国の管理で今の国の赤字と同じで、毎年、毎年の赤字による累積で三十七兆円以上になったのです。

ではどうしてこんなにに赤字が増えたのかということです。今の国の政治と国鉄とは経営の視点では、同じではないですが、似たような対応をしています。

国鉄の経営は、労働者が仕事の割合に多すぎる、労働者がだらだらしてまともに働かない人が多い、だれも管理しないし、注意もしない。当時仕事もしなくてぶらぶらしている人をブラ勤者と言ったと言いますから、常態化していたものと思われます。

私も就職するとき、国鉄に勤めている近所のおじさんから、国鉄に就職しないかと誘われました。仕事は楽だし、上司もうるさく言う人は殆どいない、やりたい仕事も要求書を出せばやらせてもらえる、それに定年になれば恩給も付くので、老後は安泰だと。

私は、そんな会社面白くもなく、長く働く会社ではないと思い、別の会社に勤めました。

それに、お決まりの政治家が選挙のためや、利権のために強引に無駄な路線を造らせたり、乗降客の少ない時間帯でも、長い車列でお構いなしに列車を走らせる。公務員のすることだから仕方ないとは決して言えない殿様商売で利益が上がるはずもありません。

とうとう耐えきれなくなり、一九八七年三月をもって解体されて民営化されたわけです。今のＪＲです。民営化されてからは、勿論黒字経営です。国がやれば多くが赤字経営、民間がやれば全てとは言わないけれど、多くが黒字経営になります。何がいけなのか、考えれば分かりませんかねー、私達の税金はそのような使われ方で良いのでしょうか、国民が政治に無関心だとそうなりますよね。選挙に当選した政治家のやりたい放題。

話は変わりますが、竹島問題も不思議です。昔から日本固有の島であったにも関わらず、韓国が経済的、戦力的に力を付けてくると自国の島だと言い張り、上陸してきて建物は造る、国旗は揚げる、やりたい放題なのに日本は大した行動も起こしていません。

何故ですか？　政府は怠慢だと思います。

政府は世界の国々は、日本の島だと分かっているはずだと思っているのでしょうか、軒先貸して母屋を取られるではないですが、長くそのままにして置けば、世界もやっぱり韓国の島だったんだと思うようにならないでしょうか。

また、尖閣諸島もそうです。長い間日本の所有でした。力を付けた中国が中国の所有だと言ってきました。

この島は、日本の民間人の所有でした。途中所有権が他の日本人に移りましたが、日本政府が所有するのが中国に対しての発言力が増すとして、時の東京都知事である石原さんが、国に申し入れをしましたが聞き入れてもらえませんでした。自分のことや自分の周りのことしか分からない政府の人達に、愛想をつかした石原さんは、とうとう東京都で買うと言ってしまいます。慌てた政府は、「やっぱり国で買うことにしました」と、今では国の所有になっております。

日本国の所有にはなっておりますが、島周辺は良い漁場でもありますので中国の漁船（？）が毎日何十、何百と言う漁船団を組み、島の周辺に押し寄せて、中国の島と言い張っているようです。

また、北朝鮮の日本人拉致の問題ですが、北朝鮮は、長年の日本の統治などの恨みなのか、他に何か目的があったのか分かりませんが、沢山の日本人を拉致しました。

ここで一つ国の違いを話しておきますが、国が違えば考え方、習慣、法律など色々違って当たり前なのです。

北朝鮮は、覚醒剤を生産したり、偽造通貨を作るのも国の指示でやっていたようです。

他国の人を拉致して来れば、褒賞を貰えたり、英雄視されるかも知れません。日本だったらとんでもないことです。

拉致や、他国での拘束は、多くの場合、日本政府が動かないと解決出来ません。日本政府にとって、拉致や拘束問題は、解決するのに最も難しい問題であることは間違いありません。

多くの場合の要求は、身代金です。法外な金額を要求される場合もあります。他に囚人の釈放だったり、他国との約束で派遣している自衛隊の退却だったりする事もあります。

北朝鮮の拉致では、以前に五人の拉致被害者が、日本に帰されました。当時の首相の小泉さんや副官房長官の安倍さんが、直接北朝鮮を訪問して交渉しました。すんなり行ったとは思えません。陰で動いた日本の大物もいたようです。表には出ていませんが、法外なお金を渡したことだろうと思います。

その後の拉致被害者は、一人も帰国することはありませんでした。

アメリカのトランプ大統領が北朝鮮の金委員長と会うため北朝鮮に出向いたと

きも、日本から拉致被害者の帰国を交渉して頂くようにお願いしたようですが叶いませんでした。拉致被害者が北朝鮮にいないことはないと思いますが、内部情報が漏れるのを恐れているのか、身代金が法外で日本として払える金額ではないのかは分かりません。

中東で拘束された日本人も、何人もおりますが、多くは日本政府が相手の要求が飲めなくて、処刑されております。

このことで日本政府を責めることは出来ません。なぜならば、中東に行った彼ら、彼女達は、政府の注意を無視して危ない国に渡り、その国で拘束されたのです。

話は変わりますが、最近園児が送迎バスの中に取り残されて、熱中症で亡くなる事件が多く発生しています。これは、まさしく政府のミスです。関係省庁が、事件が起きた時、二度と起きないように指示、確認の徹底を罰則付きで発信しないからです。それに、送迎バスは、運転手の他に必ずもう一人の確認者を同乗させることを、罰則規定を付けて指示するべきです。ひょっとしたら、こういう事故が夏以外でも何度も起きているのでは、と思います。死亡事故にならなかったので表に出てないだけだと思います。間違いなく政府関係の省庁の責任です。

同じことを思っている人もいると思いますが、日本の国会議員の数は多すぎます。どんな仕事しているのかと、私に言われても細かいことは分かりません。

しかし何十年も一国民として国会を見ておれば大体わかります。国会での質疑応答の時も関係ないと思われる国会議員が、あちこちで居眠りをしている。いらない人が無駄に出ている。

議長にしても名指しで、注意することもしない、高い収入を税金からいただいての仕事中ですよ、私が議長だったら、「何々君、こんなに大事な議論をしている最中に、居眠りしているなんて、票を入れてくれた地元の人達に申し訳ないと思わないのですか」と注意しますよ！

とにかく、多すぎです。肝心な検討、書類書きは殆どが省庁の官僚にやって貰っているのです。多くの議員は、そのレジュメを読んでいるだけです。民間企業なら半数以下でも充分対応が可能です。

能力のない人達ほど人を集めます。少数精鋭の方が、事は早く進み、内容もしっかりしたものになります。バカでない限り分かっていると思いますが、だれも自分の首を絞める事は言いません。なぜならば、彼等や彼女達は、国のための政治ではなく、自分自身のために政治家になったのですから。

それと、議員の報酬が多すぎます。何人も秘書を付けて、書類費、交通費など、税金から出ているのに、一人の国会議員に年間数千万円から一億円の経費が出ているのですから、無駄も甚だしい、これも誰一人多すぎるとは言いません。

国会議員は、国民の代表で、名誉職みたいに思われています。国のために働けないのであれば本当に辞めて下さい。お願いします。

最後に、政治家は日本国のためになるとか、この法案はどうしても通さなければいけないと思うのであれば、国会で反対する人や、また、国民を納得させるくらいの説得案を持ってないと国会議員とは言えません。

私も凄い説得力のあった政治家はあまり知りませんが、なるほどと思った政治家の弁を二つ程書いておきます。

一つは、中曽根首相が、アメリカのレーガン大統領に「アメリカの企業が日本に進出しても、中々利益も上がらないし、日本に根付かないのは何故だろうか、日本はアメリカを敬遠しているのではないか、アメリカは日本の企業を受け入れているのに」と言われたそうです。

中曽根首相は、「日本企業は、アメリカに出れば、英語で商売しますが、アメリカの企業は日本に来ても英語で商売しています。日本に来たら日本語で商売すると、利益も上がり、長く根付けると思いますよ」と言ったそうです。

もう一つは、アメリカのトランプ大統領が安倍首相に、「日本はアメリカへの投資が少ない、もっとアメリカに貢献して欲しい」と言ったとき、安倍首相は、「今でも沢山の日本企業がアメリカに進出している、そのおかげで、問題になっていたアメリカの失業率も大幅に少なくなっています。日本は大きな貢献をしていますよ」と言ったそうです。

トランプ大統領は、それ以上何も言わなかったとか。

日本が、世界で他国からの影響を少なくするためには、次の五つの事を備えることが大切であります。

経済力、食糧自給力、エネルギー獲得、軍事力、情報力です。

多分政治家の人に言うと「そんなこと簡単に出来ない」みたいなことを言うと

思いますが、やる気がないから出来ないのであって、簡単ではないですがどれも出来ることです。これは政治家にしか出来ません。一企業で出来ることではないのです。日本の将来を見据えて、この五つを是非、叶えてほしいと思います。そうすれば、日本は豊かになり世界でも注目されます。

国政政治家は、国の経営者です。国内企業の優れた経営者が国政に出てこないのが残念です。自分の地盤だけを守り自分で考えることをしない政治家と、経営的発想のない二世、三世の国政政治家で日本を世界に押し出す政治が出来る訳等ありません。

今、日本は悲しい、寂しい国になってきております。

先日亡くなった安倍さんは、国内では色々問題を起こしましたが、国内の経済を浮揚させ、日本国を世界に押し出したという点では、一級の国政政治家だったと思います。

国民の皆さん、選挙には行きましょう。投票する政治家や、政党がなければ白紙で投票しましょう。それが権利を主張する国民の義務です。

人間について

人間は、いつどこから来たのでしょうか。旧約聖書では、いつかは分かりませんが、神がつくられた（最初の人間、アダムとエバ）ことになっています。他にはノアの箱舟のノアの子孫という説もあります。

しかし歴史をたどれば、確かなものではないのですが、哺乳類は六千五百万年ぐらい前にはいたのではないかという説もあります。

人類の歴史は、猿人、次に原人、旧人類、新人類と変化していったようです。人間は、六百万年くらいまえにチンパンジーと別れた類人が現れ、二百万年くらい前に人間としての原人が現れたようです。二十万年前くらいに旧人類が現れ、今の祖先とされる新人類が出現したのが、四万年から十万年前頃と言われます。

二十万年前頃現れた旧人類（ネアンデルタール人）は四万年前頃までに絶滅し、

四万年から十万年ほど前に出現した新人類（クロマニョン人）はホモサピエンスと呼ばれ、私達の直接の祖先とされています。

人とチンパンジーが決定的に違うのは、人は日常的に直立二足歩行をするということです。

今の人類の祖先は、十万年前頃アフリカ大陸に誕生し、六万年から七万年前頃にアラビアに移動、五万年から六万年前頃にインドに、四万年前頃に、オーストラリア、ヨーロッパに移動したと思われています。アメリカ大陸に移動したのは、一万五千年前頃と伝えられています。

日本には三万年から四万年前頃に住み着いたようです。

人間の出現するかなり前のことになりますが、恐竜は二億三千年前頃に出現して、始祖鳥は一億五千万年前頃に出現したそうです。この時代は長く続いたようです。

また、一億年前頃には大陸（南アメリカ大陸とアフリカ大陸）の分裂が起こり、高温、多湿の時代（ジュラ紀）があったということです。

六千六百万年くらい前に直径一〇キロメートルから一五キロメートル程の小惑

星が地球に衝突したとする研究者の記録があります。このことにより、地球の温度は上昇し、暫くの間太陽の光が遮られました。地球上の全動植物の七五パーセント以上が絶滅したとされています。この後も生き残った動植物が変化をしながら生きながらえていきます。

ついでの話しになりますが、南極大陸は一億年前位には森林に覆われていたと思われています。森林があったとはびっくりです。その証拠に南極大陸で沢山の木の化石や恐竜の化石が見つかっています。

南極は三千五百万年前頃、大陸（オーストラリア大陸と南アメリカ大陸）から分裂し、その後地殻変動により段々南に移動したそうです。千五百万年前頃には氷で覆われたようです。

地球は長い年月の間に、地殻変動、惑星衝突、温暖化、寒冷化など様々な変化を受け生き物のように姿形を変えながら今日に至っております。これからも人間の想像を超える変化をして行くことでしょう。

さて、人間の話に戻りますが、人間が他の動物たちと違うところは、直立二足歩行をする、火を使う、言葉を話すことです。ひょっとしたら動物や鳥達も、人間に分からない言葉で会話をしているのかも知れません。

余談ですが、学校で習った北京原人（ピテカントロプス）は百七十万年から百八十万年前頃に出現し、ジャワ原人（シナントロプス）は、六十万年から八十万年前頃に現れますが、五十万年前頃までに絶滅したと言われています。

石器時代は一万年くらい前までで、まだ文字の文化はありませんでした。人間に文字が生まれたのは、紀元前三千年から紀元前四千年頃とされていますので、この頃から文明が段々と発達して行ったのでしょう。色々な記録が残せるというのは素晴らしいことです。それまでは動物や鳥などの絵を描いていたものと思われます。

今使われている漢字は、紀元前十四世紀頃中国で生まれました。そして、朝鮮半島を通って日本に伝わって来たのです。

日本では漢字にひらがなを入れた日本文字が生まれ、世界で日本だけの文字文化になっています。

人間は誕生した時から現代まで、争いの歴史を繰り返しながら生き続けております。食べ物の奪い合い、人の奪い合い、土地の奪い合い、資産の奪い合い等々、限りなく争い続けて今日に至っております。なぜこんなに欲深く争いをするのかを今から説明致します。これは人間の本能なのです。

鳥や動物は、繁殖期になれば雌を求めて雄同士が争いますが、その他では空腹を満たすための争い、縄張りの取り合いなどの争いはあるようですが、死活に関わる場合の争いが殆どです。

人間はしなくてもいいような争いも頻繁に行います。悲しい話ですが、今でも世界を見渡せばどこかで必ず一つか二つの、命を懸けた争いが起きております。人間は産まれる前から争いを勝ち抜いて人間になります。産まれる前、三億とも四億とも言われる男性の精子が一つの卵子に向かって突進していきます。短時間の激しい戦いです。

この中で見事争いに勝利して人間になるのは、通常は一つ（一匹）だけです。三億から四億分の一の確率でなければ人間になれないのです。戦わなければ産まれないようになっているのです。

その人が産まれる卵子と精子はその時出会ったその一組でしか産まれることは出来ないのです。今までこの世に産まれてきた人間は全てこの戦いを勝ち抜いて凄い確率で産まれてきたのです。

全ての人が産まれる前から争う本能を持って産まれてきているのですから、本能的に戦わずに生きることは出来ないようになっているのです。

人間が命を伴った戦い以外で生きて行くためには、それを抑える教養か、命をかける戦い以外の競争を見つけることしかありません。

しかし何と言っても人間が、一番重要なのは、人の命が何物にも換えることが出来ないものであるという尊厳を持つことです。

人の命がどれだけの経緯で誕生し、どれほど貴重なものかを考えてみたいと思います。

まず、大体の数になりますが、自分の先祖の数を数えてみましょう。

現代に生を得ている人は、すべて先祖が存在したということです。もし、現代人が十万年前頃に誕生したとすれば、私達の先祖が十万年前頃にいたということになります。なぜならば、先祖が途切れると私達は存在しないからです。

ではどれだけの先祖を介して私はこの世に誕生したのかを計算してみます。

私には、父親、母親の二人の親がいます。その両親にも二人ずつの親がいます。

またその祖父母にも二人ずつの親がいます。こうして計算すると莫大な数になりますので、区切りをつけるため、西暦元年、約二千年前までの先祖の数を計算してみます。

計算しやすいように、仮に西暦元年にいた先祖から二十五年ごとに、子孫を出産したとした場合で計算しますと、二の八〇乗となります。

計算機があれば簡単に計算できます。西暦二〇〇〇年の現在から西暦元年前までどのくらいの数字になるか計算してみてください。数の多さにびっくりしますよ！

当たり前の話ですが、兄弟姉妹が二人いれば二人同じ数の先祖が、三人いれば三人に対して同じ数の先祖がおります。ただし、先祖の中で血縁の人同士が結ばれた場合は、計算上先祖の数は少なくなります。昔は血縁どうしの結婚も結構あったかと思われますが、理論上として二の八〇乗でやってみてください。

さてもう一つ、人の命がなぜ大切かについて考えてみます。

とりあえず、今から西暦元年までを考えてみます（人間の長い歴史でのほんの一部です）。かなりややこしい話になりますがゆっくり考えてみて下さい。

二千年間に八十組のカップルが出来るわけですが、一組でも違うカップルが生じた場合は、私はこの世に存在しません。

その一世代でもその世代の人達で子供を産める一組の男女が出会う確率、その一組が一世代で出会う卵子の数、精子の数と出会う確率で計算するだけでも、スーパーコンピューターもしくは量子コンピューターで計算しないと出てこない数値になると思います。それが八十世代の計算になる訳ですから。

確率ですから入力するデータにより大きく数値も変わると思いますが、現在最大と言われる無量大数《むりょうたいすう》一〇の六八乗より分母はかなり大きな数となることでしょう。

関係はありませんが、気になりますので最小の数は涅槃寂静《ねはんじゃくじょう》一〇のマイナス二四乗です。仏教の中には数の世界があります。

要するに人間という生き物は、数え切れない程の低い確率で誕生してきているということです。

例えは悪いですが、一等五億円の宝くじを一億回当選する（ありえないことですよね）よりもっと確率の低い状態で誕生していると考えてください。

正に人一人が奇跡の中でこの世に生をいただいている訳ですから、人の命を奪ってはならないのです。

日本人のことですが、今の人達は、平和が長く続いたことと、人の人権を重んじた政策によって、楽を求める人が多くなったように思います。欲しい物は何でも手に入りやすく、我慢が出来なくなった人が多くなったようにも思います。

全ての人間は、どんな人でも一つは自分より優れたものを持っているという点で尊敬に値します。

奇跡的な確率で頂いた命ですから失うものもないと思いますので、儲けものと思い、自分の人生を無駄にすることなく、思う存分生きればいいと思います。

最後に、人間は何のために生まれてきたのかということです。仏教ではこの世は己の修業の世界で極楽の世ではないとされています。昔は僧侶も尼も殆どが独身を通しました。

キリスト教では、イエスキリストを信じ、その言葉とされる聖書を深く理解してキリストに信仰を誓います（洗礼を受ける）。

キリスト教において信者は、結婚は許されます。しかし神、キリストの前で誓った夫婦は、離婚は許されません。勿論不倫などは許されないこととなっています。夫婦の伴侶、両親はイエスキリストの次に大切な人となります。勿論信者自身も主なるイエスキリストの前ではそのしもべとなります。

では人間は何のために産まれて来たのでしょうか。私見になりますが、子孫を残すためです。人間の歴史を長く続けるためです。私たちは人間の歴史を絶やさないためにも、優れた子孫を残し続けなければいけないのです。

未確認飛行物体（ＵＦＯ）と宇宙人

皆さんは宇宙人はいると思いますか？

ＵＦＯは、世界中のあちらこちらで目撃されているようですが、確実にＵＦＯがいるとの化学的解明はされておりません。

宇宙人については、それらしきものを見たという話はありますが、ＵＦＯ以上に情報は少ないようです。アメリカの「ＮＡＳＡ」に死んだ宇宙人が保管されているという話もありますし、「エリア51」には宇宙人に関する研究がされていて関係者以外の人は入ることが許されないと聞きます。

私は宇宙人はいると思いますし、当然ＵＦＯは存在すると考えています。なぜならば、私は以前ＵＦＯを見たのです。

今から三十数年前、一月三日の晴れた夕方一五時三〇分から一六時くらいだったと思います。愛知県東郷町の愛知警察署の真上に現れたのです。

私は実家からの帰宅中で、信号待ちで、車の運転席にいました。助手席には妻とまだ歩けない長男が乗っておりました。

妻があれ何、と言うので見てみると巨大な（丸い球体を押しつぶした形）ＵＦＯが愛知警察署を覆って余りある大きさで浮かんでおりました。丁度信号が赤になったばかりで、あわてて後部座席のカバンの中のカメラを取り出しましたが、察知されたかのようにそれはそれは凄いスピードで遠ざかって、カメラを構えたときは米粒くらいの大きさで、撮影することは出来ませんでした。

巨大な円盤状で、周りは、赤、黄色、緑などの光を放っておりました。

普通であれば水滴に光が当たり、虹のように発色したのだろうと言われると思いますが、巨大な本体はシルバーだったように記憶しています。その日は一日中よく晴れており、自然現象で光を放つ物体がそのまま光りながら凄いスピードで遠方に移動していくためには、光の角度も相当なスピードで方向移動しなくてはなりません。

何より見たものしか信じない妻が、作り物でも、光の現象でもないと、本当に

ＵＦＯだと言うのですから私の見間違いではなく、万に九九九〇間違いないと思います。それからしばらくは、双眼鏡を買って空を見る毎日でしたが、ＵＦＯらしきものに出会ったことはありませんでした。

宇宙の彼方から来たとすれば、私達の想像を絶する速さで飛ぶわけですから、速いスピードで飛んでいる間は、人間の目に見えるはずはありません。

意外と頻繁にその辺を飛んでいるのではないでしょうか？　かなりスピードを緩めたとき、又は停止状態にあるときに、人間に目撃されているのではないかと思います。

地球上には沢山の解明されていない不思議な建造物や絵画、説明のつかない昔の話など、色々な専門家と言われる人の取って付けたような説明などは少し無理のあるものも多いように思います。

まず、エジプトのピラミッドです。紀元前二五〇〇年から二七〇〇年（今から四七〇〇年程前）に造られた王家の墓です。

ナイル川西岸に大小約八〇基あるようです。他の地域を含めれば百三十八基もあるということです。

ピラミッドは殆どが四角錐の形をしており、一番大きなピラミッドは、クフ王のピラミッドで、一辺が二三〇メートル、高さが一四六メートル、二・五トンの石が約二百七十万個使われているそうです。

多くの人が調査を行い、どういう風にして建造されたのかも長年検討されていますが、いまだにはっきりした造り方は解明されていないのです。

余談になりますが、ピラミッドはエジプト以外でも発見されています。メキシコです。ピラミッドだけでも数百基も発見されています。「チチェン・イッツア」は古代マヤ文明の遺跡で巨大なピラミッドがあり、今では世界遺産になっています。

最も大きいピラミッドは「テオティワカン」（神々の座所）で、一辺が二二五メートル高さ六五メートルで人が登ることが出来るそうです。造られたのは紀元前二世紀頃ということです。エジプトのピラミッドは登ることが禁止されています。

エジプトのピラミッドは、今から四千七百年から五千年前の話ですよ。文字が出来てそんなに経っていないし実績もなく、鉄も使われていない昔に純銅と石の斧で、どうやってあんな大きな石を切り出してきたのか不思議な気がします。発掘調査中に建設工程のようなものが見つかったという話もありますが、何年で造ったというのでしょうか?

検討した専門家によると王様が亡くなるまでを考えて造ったのでしょうから、数十年の日程だと思いますが、かなり、かなり難しいと思います。石はどこから切り出して来たのか、ピラミッドの近くから切り出したのかは、はっきりしません。遠方からだとナイル川を使って運んだとか考えられますが、大きなピラミッドで二・五トンの石で二百四十万個から二百七十万個ですよ。

またその石をあの時代に一四六メートルの高さまで順に積み上げるなんて、どんなに沢山の人いても、絶対とは言いませんが、無理があると思います。時の権力者がどんなに命令しても、今のように機械や道具はないのですから、当時の人間では無理だと思います。

そして、あのきれいにバランスのとれた四角錐に加工するにはベテランの石工が必要です。誰でもやれるものではありません。ある程度積み上げて仕上げをするか、一四六メートルまで積み上げて一気に仕上げをするのか、一つずつ加工した石を積み上げるのかが必要になります。あの時代に一四六メートルの高さまで足場を組んであの重い石を積み上げたり、仕上げが出来たとは思えません。

それにピラミッドの四面は、東西南北に対して一五分の一度の精度で造られているそうです。

ついでに言いますと、今の技術で三大ピラミッドの一つを造るとすれば五年以上かかり、費用も一二五〇億円以上かかると、ゼネコンの大林組が試算したそうです。

また、近くにはスフィンクスの像がありますがこれも高さ二〇メートル、全幅一九メートル、長さ七三・五メートル、馬鹿でかいだけでなく、一枚岩から削り出したとも考えられています。それにピラミッドよりかなり前に造られたとの調査報告もあります。

スフィンクスもまた、その時代の人では機械も道具も更にお粗末で、普通は無理です。

ですから、いまの発達した文明の専門家でも解き明かすことは出来ないのです。

実際に物を造るというのは中々思うようにはいきません。特に知識も道具もない状態で、夏は暑い、冬は寒い、風の日も雨の日もあります。まして外での仕事は思うように進みません。そんな簡単なものではないのです。

北アイルランドのストーンヘンジは平原の中にあります。紀元前三〇〇〇年頃のものと考えられています。

中央部の石は玄武岩で、一つ約二三トンあるそうです。二四〇キロメートル離れた北ウェールズ山脈から切り出して運んだと言われており、外周部の石はサーセン石で最大で一つ三五トンもあるそうです。その石も三十キロメートルもあるマールバラ丘陵から切り出して運んだと言われております。

どういう方法で運んできたのでしょう？　海や川を利用したと考えられているようですが……。

造った目的は天体観測とか？　今ならいざ知らずそんな昔に天体観測ですか？かなり可笑しいとと思います。

次にイースター島のモアイ像です。人の顔を大きくしただけの像に見えますが、実は現れている顔の下に土の中に埋もれて胴体があるのです。手足のある像もあるようです。

何故か多くは海に背を向けて立っているようです。像は多くが高さ三・五メートルくらいで重量は約二〇トンの石のようですが、最大の物は高さ二〇メートル、重量九〇トンに達するものもあるようです。

全部で千体程あるようですが、造られた年代（四世紀から五世紀とされています）も目的もはっきりとは分かっておりません。

かなり昔に造られたので長い年月のうちに胴体が土に埋まったのか、わざわざ土を深く掘って埋めたのかも定かになっておりません。九百年程前に島にたどり着いた人達によって像の存在が明らかになったようです。

彫刻の技術もなく、移動する機械や道具もなく、どのようにして原石から切り出して製作したのか、どのようにして移動、設置したのかは謎だらけです。

更にナスカの地上絵です。これは南米ペルーの地表面に描かれた大きな鳥や動物等の絵ですが、描かれたのが紀元前二〇〇年から紀元八〇〇年だということです。

全部で千数百と言われておりますが、個々の大きさも一〇メートルから三〇〇メートルと人間が描くにしては大き過ぎます。

描かれている絵は、猿、クモ、ハチドリ、コンドル、フラミンゴ、ペリカン、トカゲ、クジラ、犬、宇宙飛行士、等々沢山あるようです。なぜ人間がこんなにも沢山の種類の動物や幾何学模様を、こんなにも大きく描かなければならないのか不思議です。

そして、地上に描かれている絵は、地上からは何が描かれているのか判別が難しいのです。しかし、上空から見ると精巧に描かれていることが分かります。

ナスカの地上絵より数百年も前に描かれたというパルパの地上絵もナスカの近くで見つかっていますが、観光化されていないので、一般の人には知られていないようです。パルパの絵は山の斜面に大きく描かれていて、人物画が多いようです。

地上絵の近くで、千六百年程前のミイラが見つかっています。このミイラは身長一六八センチ、耳は小さく、目は大きい、足は身体の割にかなり長いということです。そして驚くことに、手、足共に長い指が三本ずつついているそうです。どう見ても人間とは違った生き物のようです。

ナスカの地上絵にも宇宙飛行士の絵があります。古代エジプトの神殿にも飛行船やヘリコプターのような絵が描かれています。

イエスキリストは、聖母マリアのお腹を借りて産まれたと伝えられています。人は片親からは産まれません。

イエスの小さい頃の話はあまり出てきません。もし神の子であれば、小さい頃から、人間よりかなり優れた存在のはずで、数々の人間離れした実績があったはずです。

イエスが生まれるとき、上空にＵＦＯが現れたとか、厩《うまや》で生まれたとか言われています。何故厩で生まれたのでしょうか、不思議です。聖母マリアには、イエスを産む前か後か分かりませんが、夫ヨセフとの間に子供がいます。

また、イエスや聖母マリアの描かれた絵の五枚から六枚にＵＦＯが描かれていると指摘されており、実際に上空に空飛ぶ円盤のような物体が描かれています。

イエスは、一度死んでから三日後に生き返ったとされています。ローマ兵に殺され、重い石の蓋のついた墓に葬られて、周りはローマ兵にて監視されていたようです。三日目に上空から生き物らしき者が降りて来て、重い石の蓋を取り外してイエスを連れ出したとのローマ兵の証言があるようです。そして地上に蘇って現れた。本当にそんなことがあったとすれば、当時は神と言われる所以です。崇められたことでしょう。文明の発達した生き物であれば医学の進歩も想像を超えるものだったと思われます。イエスが行った数々の医療行為も当時の人達には神と信じられても何の不思議もありません。

今まで書いてきた、当時だったら出来ないようなことが現存する事実を見ると、当時相当な文明を持った誰かが教えたか、協力したと考える方が理に適っているように思います。

もし、かなり高度の文明を持った生物が現れていたとしたら、謎になっている多くのことが理解できます。

人間は自分が見たことのないものや、可能性の低い想像は、否定するように出来ており、今考えられる理屈を考えだして公表するのです。

紀元前でも紀元後（最近）でも、ＵＦＯや宇宙人の話題は沢山出ていると思いますが、はっきりしないものや確実でないものは公表しない方が、世の中が平和だと思っている人が多いのだと思います。ましてや国の指導的な立場にいる人にとっては、騒ぎの種になる話題はなるべく秘密に抑える方向に処理することでしょう。

しかし、先に話しましたが、私は見たのです。ＵＦＯを。ＵＦＯの中に宇宙人がいたかどうかは分かりません。なぜならば、かなりの文明が発達しているため遠隔操作か、自動運転の可能性が高いからです。文明の高い生物はその星が確実に安全かどうか確認しなくては飛来しないことでしょう。

彼（彼女）等はかなりの遠方から飛行して来ました。多分、光を超えるスピードを簡単に出せるのでしょう。

地球の飛行体は全て、大気を利用するか、真空中だと推進する装置が必要になります。

私が見たＵＦＯは円盤形で噴射やプロペラで動いていたようには見えませんでした。多分反重力波を利用した浮力と推進が思い通りにできるのです。宇宙（真空中）では、光を超えるスピードが簡単に出せるのです。

宇宙には沢山の惑星があります。惑星には大小の関わらず、引力（重力）が発生しています。高度の文明を持つ生き物であれば、簡単に引力を跳ね返し、問題なく、ひょっとしたらその引力すらも利用して加速するのかも知れません。

現在地球では光のスピードが最速と言われていますが、理論上は光の何倍もスピードが出せると言われております。今の世界の技術は、宇宙の中では未知の部分が多いですが、宇宙を頻繁に飛ぶことになれば、色々なことがわかって速く飛ぶことも可能になります。今の人類のレベルで宇宙を計ってはいけないのです。また、時間もそうです。宇宙では時間の進みも少なくなるという話もあります。日本昔話に出てくる浦島太郎は、竜宮ではなく、宇宙に行っていたため、年を取らなかったのだと思います。地球に帰り、一気に過ぎた時間が経過したものと思います。

また平安時代初期に作られたとされる昔物語のかぐや姫も、光る竹の中から取り出され、身長一〇センチほどだったものが三か月程で美しい女性に成長、たくさんの人に求婚されながら最後にはお嫁にも行かず、月からの使者に連れられて帰っていくというストーリーは、人の心に残る名作ですが作者は不明のようです。何となく現実を話にしたようにも思えます。

宇宙人は、地球人から見れば神以外の何物でもないのです。大きい重い石も、機械も使わずかんたんに持ち上げ、移動することも出来たのです。

大きな地上絵も宇宙人の親子が地球で見たものを暇つぶしで描いたのかもしれません。

なぜ沢山の建造物も絵もあんなに大きくなければいけなかったと思いますか。そして古代都市と言われる文明の高い民族は、なぜあんな不便な高地のあちらこちらに古代都市を築いたのか不思議だと思いませんか。

上から降りてきて指導的行為をしたのではないのでしょうか。

参考で付け加えますが、地球から最も近い恒星が四・四光年（四一・六兆キロメートル）だそうです。

高度の文明をもつ宇宙では、他の星を観察することはあっても、他星の生物は殺すことはしません。人間を研究で連れ去ることはしても、研究が済めば必ず生きたままで戻してくるのです。

宇宙人は、仲間の亡骸は自分の星に持って帰ります。地球に残していくのは、仕方ない場合のみです。

今の地球の人間と、いるだろう宇宙人の化学、技術の差はひょっとしたら、人間と蟻くらいの差があるのかも知れません。

地球では文明レベルの低い民族（人間）が殺し合いを続けています。教養レベルが低いから平気で殺人を犯すのです。

生物は文明レベルが高くなると生き物は殺さなくなるのです。育てる意識に変わります。地球人の文明レベルは、国によってかなり違いますが、まだまだ程度の低い人間が多い様に思います。現に、殺人を犯す人達は、精神的に異常者か、教養レベルの低い人達です。今までの戦争や、殺人事件の容疑者をよく見てください、多くは当てはまると思います。

紀元前の昔なら、読み書きのできた人も少ないでしょうし、記録を残すという発想も思い付かなかったのかも知れません。現代の人だから当たり前に思い付くのでしょうが、昔の人は驚くことばかりで、どのようにして記録して、どこにどのように保管して後世に残すかということも出来ない方が当たり前だったのです。

何処の地域でも、語り継ぐことによって歴史を繋いできました。

もし記録を残していても雨、風や虫に喰われてなくなる可能性はかなり高いと思われます。長い間に盗掘もあります。風雨にさらされず、壁画などで残ったものが最近になって貴重な発見として残っているのです。

今現実にできること、見えることが全てではありません。だからと言ってはっきりとは分からないものを信じなさいとは言いません。それぞれがそれぞれの考えでよろしいかと思います。

今、宇宙は膨張し続けています。それも秒速六七キロメートル以上で、本当にそうだと思いますか？　膨張し続けているとしたら何故だと思いますか？

宇宙では、人間のように慌てずにゆっくりとした時間が延々と過ぎていきます。
宇宙時間です。

若者に問う

皆さんはこの世に生まれてきたことをどう思っていますか？　産んでくれなければ……と思っている人も多少は存在すると思います。しかし後戻りは出来ません。これから先どう生きて行くかを考えていくしかありません。

生まれてきて良かったと思っている人達は、これから先を更に楽しくするために、もう一度人生について考えるか、今の勢いで生き続けていってください。

私は、個人的に、若い人達の努力と頑張りによってここ二十年から三十年の国内、国外の疲弊した国家政治を建て直してもらいたいと思っております。

安倍総理で少しだけ対外的立場が良くなってきて世界からも注目されてきていましたが、政権が代わり今の政治を見ていると、このままでは日本は外国から相手にされなくなります。知的に未発達な国になっていることに政府（国民）は気付いておりません。
これまで、色々なことを書いてきましたが、まだ間に合うのか、と先の短い私ですが心配しております。

国の行く末も心配ですが、人間はとにかく素晴らしいものを凄い確率で貰って生まれてきている訳ですから、人生が楽しくなるように何でも前向きに生きてみたら良いと思います。
私の願いですが、その中の一握りの人でも、日本を世界でリードする国にしてくれる人達が出てくれれば嬉しく思います。

この本を読んでいる若い皆さん達にいくつか質問をさせてください。質問は私の思い付きですので、似たような質問もあると思います。また、順番を整理して質問しているものではありません。

あなたは、現時点での人生を楽しんでいますか。

あなたは、悩んでいることがありますか。あれば漠然とでいいですがいくつありますか。

具体的にどんな悩みを抱えていますか。

その中にはあなた自身で解決出来ないような悩みも入っていますか。

あなたは、人生はゲームだと言う人がいますが、ゲームだと思いますか。

あなたは、一人でいるときは正常に物事を判断できるが、集団になると簡単に馬鹿になることを知っていますか。

あなたは、目的や目標を持って生きていますか。

あなたは、どんな人生を過ごしたいと思っていますか。

あなたは、何かの宗教に入っていますか。

あなたは、ほかの人から注目されたいと思っていますか。

あなたは、団体でいるとき、ほかの人と同じ行動をしないと不安になりますか。

あなたは、これは良いことだと思えば、今まで誰もやらなかったことでもやることができますか。

あなたは、外出する時、顔、髪形、服装、履物などを気にしますか。

あなたは、不安になると、誰かを頼るほうですか。

あなたは、逆境に見舞われたとき、その逆境の中で美味しい果実を見つけることが出来ますか。

あなたは、ネガティブに生きている人が、得られるものは何だと思いますか。

あなたは、自分のためなら、どんな時でも頑張ることが出来ますか。

あなたは、信念と情熱のない人は、人生での楽しみを見つけることが出来ると思いますか。

あなたは、自分のためにならないことでも、正しいと思えることならば、体を張って行動出来ますか。

あなたは、お金が欲しいですか。

あなたは、お金とはどんなものだと思いますか。

あなたは、お金を得るためにはどんなことでもしますか。

あなたは、宝くじを買いますか。一等五億円の一等に当たる確率を知っていますか。

あなたは、お金を使うことによって、かなりの確率でまたお金が入って来るのを知っていますか。

あなたは、タンスの中に長年使わずに蓄えてある札束があるとすれば、それはタダの紙切れだと理解できますか。

あなたは、お金にルーズな人は全てにおいてルーズであることを知っていますか。

あなたは、お金に細かい（汚い）人は人間として小さくなってしまっていることを知っていますか。

あなたは、昨日の世の中と今日の世の中が確実に違うことを理解できますか。

あなたは、投資、ギャンブルをやったことがありますか。

あなたは、現在仕事や貯金以外でお金に関わる行動をしていますか。

あなたは、家庭を持っていますか、独身ですか、それはあなたが意図したものですか。

あなたは、二十五歳くらいまでに感動する書物に一冊以上巡り会いましたか。

あなたは、今まで、尊敬する人か、目標になる人と何人巡り会いましたか。

あなたは、あなたが困っているとき、あなたを助けてくれる家族以外の人が、一人以上いますか。

あなたは、あなたにしかない凄いものを、あなた自身が持っているということを知っていますか。

あなたは、いま世界中で起こっている人の命に関わる戦争をどう思っていますか。

あなたは、この広い宇宙に法則（決められたこと）があるのを知っていますか。

あなたは、この世の中で生きて行くのに、一番難しいのは何だと思いますか。

あなたは、物事を考えるときどこで考えますか、胸（心臓）ですか、お腹ですか、頭ですか。

あなたには二重人格（医学的には病的）ではない、もう一人の自分が自分の中にいることに気付いていますか。

あなたは、人間の脳の細胞数（千数百億個）は生まれるとき、ほかの人と殆ど変わらない数で生まれてくることを知っていましたか。

あなたは、あなたの脳（頭）は使い方次第で無限の可能性を現実化することが出来るのを信じますか（脳の細胞は生きている間に増やすことが出来ると言われています）。

あなたは、あなた自身の顔（整形なしで）、スタイル、行動、情熱（熱意）をどれか一つでもほかの人に自負できますか。

あなたは、あなたが独身で、好きな人がいて結婚したいと望んでいるとして、相手を納得させて、相手から良い返事を貰う自信がありますか。

あなたは、努力すれば何でも達成出来ると思いますか。

あなたは、あなたがその気になれば、確実にあなたの描いた人生の九〇パーセントから一〇〇パーセントの人生を送れると信じますか。

あなたは、何か行動を興《おこ》すとすれば、早い時期に始めるのが良いと思いますか。

あなたは、あなたが何かの行動を興すなら、スピードを持ってやるべきだと思いますか。

あなたは、歳を老いて足腰が思うように動かなくなってからでも、何かの行動を始めたいと思ったら、行動を興すことが出来ますか。

あなたは、何かの行動を興して目的達成のため頑張っているとき、自分の実力でない何かの力が作用することがあることを信じますか。

あなたは、人や物が関わってことがなったとき、人にも物にも感謝の気持ちを持つことができますか。

あなたは、もし日本がどこかの国と戦争になって、国から徴兵されたら、戦地に行って日本国のために戦えますか。

あなたは、生きている今が最も尊い時間であると理解できますか。

（老いて来ると身体に色々な不自由が出てきます。今日も一日無事に過ごせたと思う時が訪れます。老いても不自由でないうちは、今日も一日、見ることが出来、聞くことが出来、食べることが出来、手足を自由に動かすことが出来、今日も一日ほかの人に迷惑をかけずに生きたことの感謝に気付きません）

あなたは、生まれて来るときは何も持たずに生まれて来ました。死ぬときも何も持って死ねないことを理解できますか。

あなたは、必要以上の物や財産を所有出来たとき、困っている人に出会うことがあれば、見返りなしで気持ち良く与えることができますか。

あなたは死後、再び生まれ変わってこの世に生を得ることが出来ると思いますか。

あなたは、今からでも遅くないのです。あなたの人生を後ろ（死ぬ前の自分を想像して）から考えるべきだと思いませんか。

最後は質問ではありません。衣、食、住がある程度問題ない生活が出来る状態であれば、後は人生を楽しむだけです。

沢山の質問をしましたが、忙しくて、又はそんな無駄な時間はないと思われる人もおられるとは思いますが、それぞれの質問に向き合って、一つひとつ考えてみて頂けませんか。

そして、皆さんがそれぞれの質問に対しそれぞれの思いを全て出して頂き、出来たらその質問を更に深く掘り下げて考えて頂くことにより、皆さんの人生が楽しく、悔いの少ない一生になることを願うものであります。

「無遠慮近必有憂」

雑言

ここからは、私の長年の経験に基づく私考や、現在の世の中で起きている色々な問題について、私なりに考えていることを書いてみました。つまらないと思われるかも知れませんが、順不同で書いてみます。

温暖化

温暖化の対策が、世界中で行われていますが、対策の方法を間違えば効果は薄くなりますし、気が付かない内に沢山の出費をしてしまいます。

この問題は、個々の企業が単独で行うスケールの問題ではありませんので、世界の国々が協力しなければ解決しません。

しかし、排出大国が世界と協調しないのでは、進みません。

前にも書きましたが、二酸化炭素の削減は焼け石に水程度の効果もないと思っていますので、赤信号を渡っているとは申しませんが、みんなで渡っている滑稽さに少し悲しくなります。

「過去に氷が解けて、また、海水からも沢山の二酸化炭素が空気中に排出して、地球が温暖化になった」との偉い学者先生の論文に、「何とかしないと」と闇雲に行動をするしか対策を出せない世界の人達は悲しいと思っております。

何度も言いますが、太陽から受けるエネルギー以外の熱は、温暖化の原因になります。長年続いた地球環境のバランスが崩れてきたのです。人間が生きるためにした行為が今の環境を造ったのです。

世界は時間とともに変わっていますし、現状に基づいた対策をしていかないと（前の状態に戻すことではありません）、十年後、二十年後、温暖状況は変わってないどころか、予想より進んでいるという状況になるのではないかと思います。それも仕方ないことです。

経済的に苦しい国（殆どの国）や、企業は、追い詰められていき、経済大国としてそのときになって、無駄にお金や時間を使っていたことに気付くのかも知れません。

ロシアのウクライナ侵攻

毎日、毎日話題に出ない日はありません。なぜロシア（プーチン大統領）は隣国のウクライナを侵攻したのかははっきり分かりません。

テレビなどの解説者は、あたかも自分が言っていることが正しいかのように、淡々と説明します。

しかしながらプーチン大統領の真意は誰も分からないので憶測でしかありません。

もし、昔のソ連帝国のような広大な領土をロシアの領土として取り戻すのが目的だとしたら時代の流れを大きく読み違えています。

人の命を無駄にしてもやらなければならない政策は、今の時代にはありえないのです。もし、プーチン大統領が領地を拡大して、この戦いが終了したとしても、後世の歴史には、ドイツのアドルフ・ヒトラー（戦争中六百万人のユダヤ人を殺害しました）と並ぶ悪名しか残らないと思います。

今世界には彼を止められる国も人もいません。歯止めのきかない世界では、色々な国が同じような行動を起こしてきます。これからの世代の人達は、このようなどこで何が起こるか分からない世を生きて行かなければなりません。世界の大きな流れの中では個人が何の影響も受けなく生きて行くのはかなり難しいことです。

現状の日本の社会では、他国と違い色々な守りの仕組みが働いており、国民は危険を感じることが少ない環境にあります。

勿論、人によって個人差はあることは間違いないと思いますが、概ね世界では安定して生活出来る国であると思います。

少子化

日本では毎年出生率が下がっています。このことにより日本の総人口も年々少なくなってきています。

政府は、日本の将来を危惧してその対策に追われています。子供の数を増やすことで、将来の年金資金や税収を賄おうとでも考えているのでしょうか。人口の多い国が必ずしも豊かな国とは限りません。

私は今の日本の状況では、子供を産んで育てる若者の心境を考えると、結婚や、出産を控える気持ちが理解できます。

当たり前のことですが、子供を産めば、食べさせて、服も着せないといけません。何より自分の時間が取られてしまいます。

子供が段々大きくなるにつれて、自由な時間が少しは多く取れるようになりますが、金銭的な出費は段々と大きくなっていきます。

経済的に余裕がなければ子供を産もうと思う気になれないと思います。

昔は親や祖父母、近所の付き合いもあり、子供の面倒も見てもらえましたので結婚すれば子供をつくるのは当たり前とされていましたが、現代は個人主義の世の中になり、自分の責任で育てなければなりませんので、結婚さえもしない人が増えております。

政府は国民の数は多い程、国力が増すとでも思っているのでしょうか。

もし、子供の出産率が高くなり、子供が増えたとして、その子供が大人になったときの就職先は確保出来るのでしょうか。

今からの時代は自動化が進み、人が少なくても沢山の仕事がこなせる世の中になります。

少ない人間で効率の良い仕事と利益を生む時代になっていくのです。また、人々は自分の人生を楽しく生き抜く生き方を選択する時代です。

政府は、今の足元だけ見つめて、お金をばらまき、行き当たりばったりの政策をするべきではなく、将来を見通した政策で生産性を上げ、将来の日本をより良い国にするよう進めるべきだと思います。

追いかける

異性とお金は追いかけると逃げます。皆さんは経験ありませんか、人間を含め動物は異性を求めるように出来ています。これは子孫を残すための自然現象です。

動物は分かりませんが、人間はあまりしつこく追われると離れていきます。

お金もそうです。自分の能力以上に追いかけると離れていきます。運任せの一獲千金などその典型です。

でも皆さんは求めますよね、あまり欲を張らなければ、手に入る手法があるのです。
それにはこの世の流れを見極めることと、人の心に入る術を手に入れることです。

逆らってはいけないところ

世の中には逆らってはいけないところが最低四つあります。昔お上に逆らうなとよく言われましたが、正にその中の四つです。

それは「署」のつくところです。警察署、消防署、税務署それに労働基準監督署です。逆らったり妨害したりすると、公務執行妨害、見解の相違などで必ず自分に返ってきます。幾ら申し開きや説明をしても取り合ってもらえないと思った方がよいと思います。

お金

お金は生きるための道具です。沢山あればいい仕事（人生）が出来ます。少なければ仕事（人生）の質も落ちるかもしれません。

ですからある程度は必要ですが、使わない道具を沢山集めても役には立ちません。

お金を手に入れるため、親や他人を巻き込んだり、だまし取ったり、お金のために命をかけたりする人を多く見かけますが、悲しい限りです。

確かにお金は大切なものであることには間違いないと思いますが、あまり執着し過ぎると人生そのものが幅の狭い、薄いものになるように思います。

ライオンやトラなどの動物は蓄え方を知らないからか、お腹が膨れると目の前に獲物がいても襲わないそうです（断っておきますが中には蓄えをする動物もおります）。

残念ながら人間は必要以上のものまで獲得しないと気の済まない生き物のようです。

起業

お金を人並み以上に得ようと思えば、会社の役員か自分で起業するしかありません（ギャンブルや投資を除きます）。サラリーマンは、会社の決める給与やボーナスしか貰えません。

会社によって差はありますが多くを期待できるものではありません。またサラリーマンは会社内での仕事の自由はかなり制約されますので、自分の思い通りの仕事が出来るとは限りません。

むしろ少ないと思った方がよろしいかと思われます。

勿論安全性から考えるとサラリーマンの方が心配事は格段に少ないと言えますが、やりがいや満足度はサラリーマンの比ではありません。やり方次第では裕福になり、後悔の少ない人生に、また、起業して良かったと思える人生になります。

こんにちでは、起業するのに政府の後押しもあって簡単に起業出来ます。出資金も一円から出来るようです。以前は、株式会社は最低金額で一千万円は必要で、発起人も何人か必要でした。

ですから起業したいと思っても、条件を満たさないと法人には出来ませんでした。その分現在の方が起業しやすいですが、早いうちでの倒産率も高いと思われます。随分前の話ですがこんな例えを聞いたことがあります。「美味しい柿の実を取るには危ない所まで木登りしないと取れない」リスクを取らないと得られないものも多いのです。

仕事

普通、仕事というのは楽しくありません。仕事がすべて苦痛ということではありませんが、会社は、人がやりたがらない仕事をやって貰うために賃金を払っていますので、当たり前の事かもしれません。

人が楽しむような遊園地などは、お金を払わないと遊ばせて貰うことは出来ません。働くと言うことはそういうことです。ただ、いやな仕事をやり続けるのも、辞めるのもあなたが決めればいいことです。選択権は社員にあります。

しかし皆さんにしてみれば、どんな決断も簡単ではないはずです。生活がかかっているので大変です。最近は昔ほど気楽に生活が出来ないようになったと思うのは私だけでしょうか。

良い会社、悪い会社

世の中では、良い人には良い人達が集まり、良い会社には良い会社が集まって来るといいます。

反対に良くない人には良くない人が、良くない会社には良くない会社が寄ってくるそうです。

私も長年生きていますと、良い話も悪い話も色々と聞きましたが、実際に良いことも、悪いこともいくつか経験しました。

最近の知り合いの話で、良い話の方ですが、私の知っている物を作っている会社で、業績は毎年黒字の決算です。最近になって、同業他社の仕事が、あちら、こちらのお客さんからやりきれないほど沢山来たそうです。

何故だろうとそのお客先に直接聞いてみたり、別のルートで調査してみると、「今までの会社は、最近は輸入原材料価格が高騰し、燃料費も高騰して、製造原価を下げるために手間を省いたことが分かり、そのためか製品に不良品が多くなった、その上単価の値上げを要求してきて、どこか同じものを製造する会社を探していたところ、知り合いの会社を紹介して貰った」ということでした。

その知り合いの会社の社長は、「燃料代は高騰しているが、原材料をお客に支給して貰うことと、生産量を増やすことにより単価を抑えて製品の価格を据え置いている」と言っておりました。不良品を出すと致命傷になる。過去に単価を上げたり、不良品を出したりしたことがあったが、その後の立ち直りに大変な苦労と時間を要したと言っておられました。知恵を出せる会社は良い方向に向かいます。良い会社も寄って来ます。

悪い話の方では、細々と仕事をやっていた会社が、業績が悪いからか、反社会的な人や会社からも仕事を受けていたようです。

それを知った今まで付き合っていた会社も段々と離れていって、更に会社の状態も悪くなったということです。借金も増える一方で、仕事を貰うために、安い費用での仕事も受けるようになり、どこからも借金が出来ない状態になり、その先は想像出来ます。

こんな話は一例ですがどこにでもあるような話です。人生には注意していても避けられないことも多いですが、人との出会いは大切にしなければなりません。しかし、付き合い方は、本人が気を付けなければならないことです。

ＮＨＫ

最近、ＮＨＫ不要の話があり、政党まで出来ております。国民の皆さんの中にこれに賛成する人がある程度いるために政党が出来たのは既成の事実です。

私は、人が多ければ多い程、色々な考えが出るのは当たり前だと思いますが、日本の国も地に落ちてきたと悲しく思います。先進国の日本がこれほど貧しくなったかという思いです。

ＮＨＫ不要の多くが受信料だろうと思いますが、極貧の国でない限りＮＨＫの放送するドキュメント、世界の景色、動物の生態、人によっての評価は別として感動のドラマ等々は心を穏やかにし、また、教養を与えてくれます。

他のテレビ局は商売なのでスポンサーが付かない放送はしません。競争で視聴者を取り合うことで他社に負けないドラマやイベントを送信してくれることは、素晴らしいと思います。

スポンサーの顔色ばかり気にする放送は、大変さがテレビを通して私達にも伝わってきます。

同じ時間帯で人々に見られない（最近は録画もできます）放送は、「もったいない、気の毒」な気持ちにもなります。

日本人は貧乏ではありませんので、貧富の差も他国程大きくないように思います。シングルマザーなどの人は生活が厳しいと思いますが、餓死したという話はありません。自分が楽しむため、何日も子供を置き去りにして、栄養失調になって亡くなったとのニュースは時々聞きますけど……。

今はほとんどの家庭から受信料を取っていますが、NHKをなくすのではなく、政府がお上の御威光で押さえつけるのではなく、おかしな考えをする人が出ないように、頭脳を使って納得の策を出して頂きたいと思うのです。国民を納得させる、または説得出来る施策は必ずあります。関係する人達が真剣に考えていないのだと、そして何らかの立ち塞がる大きな壁があるのでしょう。

私は、日本にはNHKの様な公の放送局は必要だと思います。

核（核爆弾）について

日本は一九四五年に、広島と長崎に違う種類の原子爆弾（核爆弾）を投下され、甚大な被害を受けました。

この爆弾は物を破壊するというより、人間を壊してしまう爆弾です。この爆弾を被弾した人々は、本人だけでなく、関係者全員が長年にわたり苦しまなければなりません。

その後の七十七年間の現在までにこの核爆弾が実験以外で使われたという記録はありません。

しかし、多くの国で核爆弾は保有されています。アメリカ以外の国は一九四五年の第二次世界大戦後に保有するようになりました。

二〇二一年の時点で核を保有しているのは九ヵ国で、はっきりした数ではありませんが、ロシア六千三百発、アメリカ五千六百発、イギリス二百二十五発、フランス二百九十発、中国三百五十発、インド百五十六発、パキスタン百六十五発、イスラエル九十発、北朝鮮五十発、世界で一万三千二百発以上の核弾頭が持たれていることになります。

また、核疑惑国として、イラン、シリア、ミャンマーがいます。

何故こんな危険極まりない兵器を所有するのでしょうか？　勿論核被爆国の日本には、一発もありません（ということになっています）。

核保有国は、抑止力とのこと。どこかの国を攻めるためではなく、自国を守るためには必要なことと言いきっています。

では、保持していない国は危険にさらされるのでしょうか、財力や技術力がないから持ちたくても持てないのでしょうか、

日本は核爆弾で悲惨な目にあったことと、アメリカの傘に入ることで、安全を保証してもらっているのですね。

しかし、いざというときに自国を守れるのは自国でしかないのです。いくら約束があっても相手が窮地に陥れば手が回らないことも考えておかなければなりません。

自国の安全を他国に任せる考えは、政府が自国民に対して責任の放棄をしているとしか思えません。

北朝鮮の核の保有を考えてみましょう。北朝鮮は現在、五十発近い核弾頭を所有していると思われます。

人口約二千五百万人、国内総生産（ＧＤＰ）約三兆七千億円で、世界から見てもかなり厳しい経済状況です。

国民の多くは食糧不足、燃料不足、過酷な労働条件の中で生活していると言われています。

その中で核のための実験、年間二十発とも三十発とも言われるミサイルの発射実験、国民の生活を犠牲にしたこれらの実験は本当に必要なのでしょうか。

また、どの国を対象にした訓練なのか、アメリカ、韓国、日本、はっきりしたことが分からないまま、連日の如く発射実験は行われています。戦争への抑止行動であればいいのですが。

一つだけ北朝鮮の言い分を聞くとすれば、核を持った国が相手であれば核でしか抑止は効かないということです。核を持っていない国には脅威を与えますが、国民の生活を犠牲にしてまで自国を守るためには、どうしても他国から注目される「核」を配備せざるを得なかったのではないでしょうか。

日本では原子力発電所の使用後の核処分場で問題になっておりますが、色々な議論があるという中で、中々前に進んでおりません。

反対する人もいる事は想像できますが、今廃坑になっている炭鉱の地下深い坑道を利用して、数百メートル下に核処分場を造る検討は出来ないものでしょうか。

賃上げ問題

盛んに話題になっております。働く人にとって賃金は重要な問題であるのは間違いありません。労働組合が賃上げを企業に要求するのはある意味正当なことだと思いますが、政府が、民間に賃上げをお願いするのはおかしいとしか言えません。

民主主義国家での賃上げは、各企業が自社の経済状況や売り上げ利益の算出をして、来期を見越しての総合的な経営判断の中で、経営者が会社員もしくは労働組合に出すものであり、政府が国の消費を上げるために企業にお願いするものではありません。

政府は、経済成長も含め、あらゆる政策に打つ手がなくなっているように思います。日本人として情けない状態に陥っているようです。これに引き換え、多くの企業は生き残りをかけ、かなり努力をしていると思います。

政治家の上に居る人は、国を動かしている訳ですから、もう少し経営的手法を学ばなければならないと思います。

ギャンブル・投資

やったことがない人は少ないと思いますが、少しこのことについて話してみたいと思います。

ギャンブルについて、私は詳しくは知りませんが、一般的に行われているのは競馬、競輪、競艇、パチンコで、これらは日本政府公認として公に行われています。個々では、麻雀、サイコロ、花札、などのお金を賭けないで行えば問題ないもの（お金を賭けなければギャンブルとは言わないのかも知れません）、日本にはありませんが、カジノ（その国の公認）があります。

投資としては、株式取引、投資信託、先物取引、ＦＸなどが一般的で他にも色々とあるようですが、これもギャンブルと言える状況まで来ていると言えるようです。

今や先進国と言える国では殆どの国で多くの人が、何らかのギャンブルや投資を行っていて、やらない国は経済状況が遅れている国と見られる程です。

国も人もこぞって参加し、投資を積極的に教える学校もあるようです。日本で一番の投資金額を運用しているのは年金積立管理運用独立法人（ＧＰＩＦ）です。

後で少し書いてみます。

私はここに書いたギャンブル、投資の殆どを少しですが経験しました。今も継続しているものもありますが私事も含め少し話してみたいと思います。

競艇、競輪は若い頃少しやりましたが、開催地が自宅より少し遠いので今は全くやりません。

パチンコは、近所に幾つかありましたが、これも戦績があまり良くなく持ち出しが多いので、何回かやって今はやっておりません。

花札やサイコロは今では殆どやる人も少なくなり、若い人は、話は聞いたことはあっても、やる機会は殆どないかと思います。

競馬は、公営競馬と地方競馬があります。毎年七千頭から八千頭の仔馬が誕生します。そして早い馬は二歳からレースに出されます。

勝ち上がって行くとレースのランクも上がっていき、賞金も多くなっていきます。最高クラス（G－1）になると殆どの勝ち馬が一億円以上の賞金を得ることが出来ます。一着賞金が三億円、四億円のレースもあります。

当たり券の配当は、そのレースに投票された全金額から二五パーセント差し引いた金額を投票数に応じて分配したものになります。

二五パーセントは主催者が持って行きます。何でもそうですが、胴元や主催者は必要なお金は、損が出ないように（利益が必ず出るように）一番先に手元に入れます。

レースにより、それぞれ特徴のある競馬場で走り、走る距離も違ってきます。それに畜生が走り、殆どが話したこともない他人が手綱を取る訳ですから予想はかなり難しいものになります。

色々な組合せの中の馬券を買うわけですが、これが当たりそうで中々当たらないところに面白さがあり、ついつい止められず、引き込まれて行きます。

麻雀は、中国から来た遊びと言われておりますが、一時期（三十年ほど前まで）は大変な流行りようで、私も三日に空けずやっていました。今でも雀荘が一時期程ではありませんが、あちらこちらに残っております。通常四人でやりますが、メンバーがいないときは三人打ちも結構多かったように思います。

麻雀の上がり手は沢山あり、役によって点数がちがいます。締めの時に点数の多い方が勝ちとなります。そして何度やっても同じ手が来ることは一度もありません。それがまた面白いのです。

私は弱いのに、あちらこちらに一人でやりに行くような人達ともよく打ちました。負けることが多かったのですが、不思議な遊びで、ツキが乗ってくると、そういう強い人達にも勝つときがよくあるのです。

よく考えてみると、何とも不思議な遊びです。

今から考えると、いい経験だったと思っています。お陰で沢山の年配の人達にも可愛がられて遊んで貰ったように思います。

今は、当時の人達も殆どいなくなり、麻雀をやることはほとんどありません。

先物取引は、証拠金を業者に預託して売り買いを行います。レバレッジ（倍率）も売り買いする品物により五〇倍、一〇〇倍があり、少しのお金で沢山の品物の売買が出来ます。レバレッジが大きい分、儲けも損も大きくなります。一枚単位ですが、何十枚、何百枚と売買する人も結構いると聞きました。

投資信託は、その道のプロと言われる投資会社に委託して投資を行ってもらうもので、その会社が幾つかの投資先を選定して投資をします。期間を決めて投資をするもので、あまり投資に詳しくない一般の人には、リスクも割と少なく最近ではたくさんの人が参加しているようです。

私は数年前までやっておりましたが、面白みに欠けるので、今はやっておりません。

株式投資は、一般的でたくさんの人やっております。証券会社に委託して好きな銘柄を売買してもらいます。ある程度のお金を預託しておけばその範囲内で銘柄と取引株数を指定すれば売買をしてくれます。上場企業三千社から四千社の中から自由に選ぶことが出来ます。今では外国株も売買できます。

信用取引もありますが株式を借りて売りから仕掛けるものは証券会社によりか

なり制約があるようです。信用取引は期間内の売買が必要で、決められた期間を越えて行うことは出来ません。

ＦＸ取引は、通貨取引と呼ばれるもので、世界の通貨を売買するものです。これも証拠金を業者に預託して行います。最近は若い人にも人気があるようです。

最後に投資資金が日本で一番多い（二百兆円弱）、年金積立管理運用独立法人（ＧＰＩＦ）ですが、ここは私達の年金を投資運用しているところです。運用方法は、債券五〇パーセント、株式五〇パーセントでインカムゲイン（利子・配当）とキャピタルゲイン（損・益）です。投資方針は分散投資と長期投資です。二〇二〇年の運用では、過去最高の三十七兆円の黒字を出したと聞いております。

また、二〇〇一年から二〇二二年前半までの収益は百二兆円を超えたと言われており、投資実績としては、問題なく利益を出しているといえるのではないでしょうか。

政府も、証券会社も、銀行も、老後資金問題で色々な投資を勧めておりますが、投資に安全はありません。特に株式投資では聞いた話ですので確かではありませんが、八〇パーセントから九〇パーセントの人が損を出していると言われております。

今人生百年時代と言われて、多くの人が老後を何とか不自由なく暮らそうと考えています。経済成長の少ない日本において、物価の高騰、電気料金の値上げ、医療費の値上げ、年金積立期間の延長と、支給時期年齢の引き上げ、支給金額の引き下げ、賃金の上がらない企業の多い中で、何とか老後資金を増やしてもらいたいとの政府の要望が、こういった形で投資を促しているのだと思います。

定年退職した人で、余裕のない人の投資は、特別な場合を除いてやるべきではありません。

殆どが、手数料などで消えていきます。

売買で得た譲渡利益には、現時点では約二〇パーセントの税金がかかります。

定年前の人は、出来るだけ仕事で蓄えを増やして下さい。

サラリーマンは、会社が倒産しない限り必ず毎月の給与が入ってきます。一番安全な収益方法です。ギャンブルや投資を促す国の政策はどう考えてもまともではありません。

政府も含め投資会社などの誘いは、よく考えて行動すべきだと申し上げます。

このように申し上げる私も、色々なギャンブルは勘と運が悪かったようで、全てご奉仕して参りました。

投資についても、勘と運それに分析力が不足していたのか、年単位では利益を出したこともありますが、長い年月で計算しますとマイナスになっております。

現在もギャンブルや投資に関する書物は、沢山出ておりますが、どれも著者や、その時代に即した考えが書かれており、今の相場状況やその人に合った投資手法かは分からないのです。

つまり、手法や成功体験は参考程度にとどめて、行動するのが良いと思います。

結果私も、大切な時間と大切なお金を使ってしまったとは思っていますが、一時期楽しい、ドキドキする時間を得た事も長い人生の中では必要だったと自分に言い聞かせております。

少し負け惜しみのように聞こえるかも知れませんが、人と会話をする際の話のネタにはなったように思います。

幸い仕事の方では大したトラブルもなく、順調にこなして生活することが出来ましたので、今のところ少し安心しているところです。

まともな仕事以外で、簡単にお金が入って来ることは少ないと思っていて間違いないと思います。

男性・女性

この世には基本的には、男性と女性しかおりません。殆どの国で男性優位な時代が続いてきました。最近では女性の立場が見直されています。これは女性の力が強くなったのではなく、人間としての考えが時代の流れの中で、女性の社会進出を必要とされてきたからに他なりません。

このようなことを言うと沢山のお叱りがくるかもしれませんが、基本的に男性と女性は同じでありません。

身体の機能、構造、適応などが違うのです。男性と、女性ではそれぞれが勝っているものと、劣っているものがあるのです。

誤解されるといけませんので、言っておきますが、人間としての価値は同じです。差別をするべきではありません。だからと言って全てに同じとする考えはおかしいと思います。適材適所で生活することが大事です。なんでも平等とする考えは危ないのです。

今の世の中は、なんでも男女平等と言っていれば正しいと勘違いして、なんでも平等を唱える世の中になり、周りばかり気にする小心者は、仲間はずれを恐れるが故、世の中の流れに流されてなんでも平等を進めていきます。

随分前に、男女雇用機会均等法が施行されました。勘違いする人も多かったと思います。この法律は、男性も女性も同じに雇用をされる機会を与えなさいというもので、男性と女性を収入で差別してはいけないというものではないのです。

当然仕事のできる人には女性でも沢山の報酬を与えるべきで、能力の低い人には男性でもそれなりの収入に設定するべきです。

企業の場合はそれぞれの能力を見極めた人使いをやらなければ、成り立ちません。

男性の良さ、女性の良さをうまく活用してこそ、会社も家庭も安定した、不満の少ないものに出来るのだと思います。

法律

現在色々な法律があります。法律があるから国民は安心して日々の生活が行えるのだと思います。

しかし最近は、人間が法律に縛られているように思われることが時々見受けられます。

その法律があるから本来の人間の行動や発言が損なわれているというようなことが往往にしてあります。

法律は、本来人間を守るためのものであり、人間のために作られたものであるはずです。裁判官も人間ですから、法の解釈という部分で担当により違ってくることはあります。

上告するたびに前に出た判決が覆るということもよくあるようです。これはある意味仕方ないことでもあると思います。

ただ、最近では法律が幅を利かせ、いいえ、法律に携わる人が、法律の中に人を押し込めていくと言う光景も時々見受けられます。

人間が法律に縛られて、人間の行動が狭くなってしまっていることに違和感を覚えます。

これは犯罪の例えではないので、おかしいたとえと思われるかもしれませんが、ある大企業で、作業の施工安全規定がありました。八時間のうち、二時間ごとの安全ミーティングが義務付けられます。チェックシートがあり、ミーティングの記録を提出せねばなりません。

作業開始の八時、一〇時、一三時、一五時、作業終了の一七時です。業者は従わないと、始末書を書かされ、次から仕事を貰えません。仕事をする以上従わなければなりません。

安全ミーティングが多いと、作業時間も少なくなります。ミーティングで緊張した後、作業に入った途端気が緩むのか、事故が起きるということもあるようです。

人間は、気が張っているときには意外と事故やケガは起きないものです。

「安全は、全てに優先する」事故が起きてからでは何にもなりませんが、やり過ぎるのはどうかと思います。仕事上の安全は、仕事が発生して初めて生じます。仕事のないところに、その仕事の安全はありません。仕事が発生していなくても、安全会議の出席を強制される場合もあります。

天皇制について

私が非常に気の毒に思っていることがあります。それは天皇家のことです。天皇や天皇家の方々は、生まれたときから自由がはく奪されているのではと思い気の毒でなりません。いつもお供が付き、どこに行かれるにも制約があります。おことばの発声にもチェックが入っているのではないでしょうか。寝るとき以外の自由はあるのでしょうか。

先日、秋篠宮さまの長女眞子さんが、自分の意思で皇族を離れ、一般人の方と結婚されました。今はＮＹで住まわれ、一般の生活をされている由、私にはよく理解できます。

生まれながらの慣れはあるでしょうが、失礼ながら、皇族がいくら裕福（？）

でも私には耐えられないと思います。

天皇は先の大戦前までは神的存在でした。でも今では一人の人間としての人生もあるのではないでしょうか。特に天皇以外の皇族の方々は、もっと自由な行いが認められてもと思います。

長い歴史、対外的な立場を考えれば難しいことなのでしょうか。

日本の企業

企業は日本に大小約四百万社ありますが、その多くは中小、零細企業です。特に、中小、零細企業は、生きて行くのが段々と厳しい状況になって参りました。

企業が生きて行くために何が必要か、よく色々な本が出ていたり、大企業の実績ある社長の講演会が行われたりしています。

当たり前だと思うでしょうが、企業が存続するためには赤字を出さないことです。黒字を出し続けることです。当たり前のことを言うなと思われるでしょうが、それが基本なのです。皆さんは企業の業績発表を見たことがあるでしょうか、株式の上場企業は、四半期（三か月）毎の決算を公表するようになっています。

四半期決算とは三か月毎の収支のことです。通常は年度の収支を見ておれば問題ないのですが、大手企業になれば、収支の金額が大きいので分散公表が義務付けされています。また株主に対しての経過報告も兼ねています。

よく決算の発表で何パーセント増収、減益などの発表があり、株主にとって聞き逃せない情報でありますが、経営状況からいえば、いくら前期より減益でも、プラスの利益が出ておれば、会社は一応安泰ということであります。びくびくすることはありません。ただし、利益以上の買い物や投資、未収金があれば別の話になります。

日本の企業（マスコミ）はあまりにも収支を気にし過ぎて、経営者はその度に表に晒されています。短期ごとの収益ばかり気にしていては、長期の計画は、オーナーでない限り、立てられるものではありません。

過労死

一時期過労死をする人が沢山出て、世間で問題となり政府もその対策に追われておりました。

しかし、ここ三年は新型コロナの対策等で自宅でのリモートワーク（テレワーク）が増え、今では殆どニュースにも出てこなくなりました。

政府の対策としては、月の超過勤務時間を休日も含め八十時間以内とか、年の内六か月は月の残業は四十五時間以内とか、年で最大三百六十時間以内とか人費と時間を費やして決めたようです。どこかに基準がないと歯止めが効かないのは分かりますが、どの会社も、どの人間も、一定の枠で判断するのは民主主義の考えから外れているように思います。

人間の能力は千差万別で、持病を持った人も働いているでしょうし、体力も皆同じではありません。男女にもそれぞれで差があります。

各企業にもそれぞれの事情があり、従業員と会社側で話し合いをして決めさせるべきであると思います。そもそも過労死の最も大きい原因は、ストレスであることに気付くべきです。

もし、仕事が苦痛でなければ、ひょっとして楽しければ、ストレスは起きないのです。

従業員が進んでその仕事をやるようになればストレスは少なくなると思います。

従業員がその仕事に対して納得していないので不満が起きて、おとなしい人は自分の中にため込んでしまい、限度を超せば耐えられなくなり、自死と言う行動になってしまいます。

政府は人財がいないのか安易に基準を作って、対策を打ったつもりでいるが、実は日本の企業に枷《かせ》を作っている、もっと言えば日本経済を駄目にしていると思えてなりません。苦痛なくどんどん働いて個人の収入も多くなり、会社も収益を上げて成長し、どんどん設備投資をする。当然納める税金も多くなり良いことずくめ、こんな政策は打てないものですかね。仕事にストレスがなければ過労死はありません。

企業の成功

会社を起業して成功したとよく聞きますがどういった状況になれば、成功といえるのでしょうか、社長によって、また会社の種類によって違うのは当たり前ですが、会社設立当初の目的があって、それをクリアすれば成功と言えると思います。

一般的には、自分の希望する仕事が出来て、会社にも自分自身にも当初思っていた貯えが出来た時点で成功と言えます。

それから先は新たな目標を立てて次のステップに進みますが、欲との闘いになりますので、慎重に、注意を怠らないように進めないと、元以下の状態になることが多いようです。

ひとつ言えることは、どんな大企業の社長でも国を動かすことは出来ません。

神様

神様によくお祈りや、お願い事をすると思うのですが、どんな神様ですか、具体的な名称のある方ですか、漠然とした神様ですか。

人は都合のいい生物で、自分が必要としたときだけ、お祈りしたり、お願いしたりします。

人は宗教に関係なくてもお祈りをする習慣があります。それが日本の文化とも言えます。

私はそれでいいと思います。拝んだ時点で安心して自己満足します。必要な時に拝めるのが神様です。宗教に関係無い神様は人の身体の中、心の中にもいます。ですから神様は生きている人間の数だけいるのです。もうすぐ世界の人口は八十億人になりますので、八十億の神様がいることになります。

当たり前の話しになりますが、その人が亡くなれば、その人の中の神様はいなくなります。

私達は見えないそれぞれの神様に色々な祈り、願いをしながら生きて行けばいいのです。しかしです、お願いごとが全て叶うわけではありません。

なぜならば、今まで生きて来て、皆さんは沢山のお願いごとをしてきたはずですが、どれほど願いが叶いましたか？　叶わない方がかなり多いと思います。

それは、自分の欲だけをお願いしたり、楽をして何かを得ようとしたり、分に合わないほどの願いをしているからです。

心当たりがありますか。自分が努力をして叶う範囲の願いだったり、人のためになる願いならば、あなたは行動と努力を惜しまず精進することで叶っていきます。

ただ願うだけの祈りは、成就しません。

宇宙

宇宙の年齢は一三八億年、地球は四六億年と言われておりますが、実際ははっきりわかっておりません。私のいい加減な想像ですが、電磁波や放射能の減衰《げんすい》（ウラン238で半減期《はんげんき》四五億年）での測定数値で表しているのであれば年齢はもっと大きいのではないかと勝手に思っております。

また、宇宙の大きさも地球から計測して百億光年と言われておりますが、今も更に膨張しているとすれば、宇宙の外に更なる空間があると言うことになります。宇宙はもっと、もっと大きいのだと思います。そして、この宇宙の外に更なる宇宙があるのかも知れません。

今の世界は三次元の世界ですが、四次元、五次元の世界があるのかも知れません。画家のピカソは異次元の感覚を持っていたのかも知れませんし、ドラえもんのどこでもドアは、異次元の入口なのかも知れません。宇宙のどこかに実際に存在するのかも知れません。

父

私の父は戦争（第二次世界大戦）へ行きました。終戦後しばらくして日本に帰国しました。その後、母と結婚し、四人の子供を儲けました。私の家は、裕福ではなく、慎ましく生活して来ました。私が小学校の頃の母は帰るといつも内職をして生計を助けていたように思います。

父は他の親と少し違っていて、社会人になるまで、いや、今まで一度も「勉強しろと」いう言葉を聞いたことがありません。これは兄弟姉妹皆同じだったと思います。

試験の前の日など、夜の九時過ぎて電気がついていると消して回るほどです。試験の前に慌てて勉強していると、泥縄（泥棒を捕まえてから縄を編む）だと叱咤しました。

父は、私が中学生か高校生になる頃、よく「良い成績を取ったら駄目だとか、どん尻でも駄目だ、真ん中くらいが良い」と言っていました。勉強をするなと言う親は、世の中にはかなり少ないと思います。

父には世の中に出ても、「お金持ちになろうとか、出世をしようとか考えてはいけない。ましてや、独立して会社を興そうなだとは決して考えてくれるな、サラリーマンをして、普通の奥さんを貰い、何人か子供をつくったら、子供にもあまり期待をするのではなく普通に育てること、そして、人生を平々凡々と送るのが、一番幸せなことなのだ」と何度か言われたことがあります。

私の母親の親戚は、何人も会社を興して社長をやったり、役員になったりしていて、私の体にも半分は母親の血が流れているので、何度考えても父の言葉は納得出来ませんでした。一度父に理由を聞いたことがありますが、答えてくれませんでした。父は、六十五歳で中小企業の役員を退職し、他からの誘いもあったようですが、どこにもいかず、余生を静かに過ごしました。

私は、戦争で父にとって何か大きい、人生を変えるようなことがあったのかも、と勘ぐっていましたが、父の戦友の方々や、上官の人にも父の戦争での話を聞きましたが、大変な戦いの中で、みんな仲良く力を合わせて、本当によく生きて帰って来た、という話ばかりで戦争での戦地の話は聞くことはありませんでした。

父は、嘘をついたり、つかれたりするのが大嫌いで、私も「必要悪」以外の嘘はついたことがありません（ないと思います）。

父の言葉で今でも心に留めている言葉があります。それは、ことあるごとに言われた「泥縄」です。この言葉は私の人生で最高の指標となりました。また機会がありましたら、その辺のこともお話したいと思います。

理想

こんな理想があれば人生楽しい。

「人間は身体の中に万物を引き付ける万能の磁石のようなものを待っている。信じない人はそれでも構わないですが、これは事実です」

学校に行けば、そんなに勉強していないのに、いつもクラスでは上位にいる。

学校では、先生に褒められこそすれ、叱られることは殆どない。

運動会があればいつも先頭で走っている。

学校では友達が沢山出来た。

会社に勤めれば、上司も含め色々な人から声をかけられる。仕事も頼まれる。

仕事は殆どトラブルなく進み、人より速く終わることが出来る。

好きな異性とはすぐに友達になり、時々プライベートで出かけることがある。

給与もボーナスも同期の人より多く、好きなものを購入することが出来る。

ギャンブルや投資はほどほどにしかやらないが、かなりの確率で利益を出している。

会社を興せば、大手企業とも取引が出来て、仕事はどんどん入り、失敗を殆どしないので、お客先の評判も良く、計画通りの収益が出せる。

立地の良いところに自社ビルや、工場を持つことが出来る。

業績が良いので、他社より高給で優秀な社員を採用することが出来る。

内部留保金で多くを賄《まかな》い、借入金を少なく出来るので、資金繰りに心配がない。

会社の業績が良いので、仕事に必要なハイテク機材や、備品も思い切って購入出来る。

革新的な仕事や、開発を必要とする仕事も潤沢な資金と、優秀な社員で大きく前に推し進めることが出来る。

業績の良い会社の社長なので、収入も多くプライベートでの買い物も、好きなものを思い切って購入出来る。

豪勢な自宅、乗用車も購入でき、金銭的には家族にも不自由をかけることはない。

優秀な社員が育って来れば、その社員を責任ある地位につけて、自分に少し自由な時間が持てるようにする。

人生でお金に不自由したことがない。

仕事以外の友人も沢山出来た。

老後は健康に注意しながら、自由な時間を満喫する。

このような人生を送ることが出来れば、その人はきっと楽しいはずです。

宮崎語録

経営は理念、投資は信念。

仕事が楽しくなければ、人生は楽しくない。

良い機械は、きっちりした設計でのみ出来上がる。

良い製品は良い機械でないと作ることが出来ない。

会社は舵を握っている人次第、どの方向へでも動いて行く。

会社は、景気が良ければ社員が忙しく、景気が悪くなれば経営者が忙しい。

お金と異性は追えば逃げる。

お金は生きるための道具、なければ困るが、貯めておくものではない。

お金にルーズな人は、全てにルーズ。

個人的なお金儲けは一人で静かに黙ってやれ。

自分の人生に於いては常に自分が主役で、ほかの人は脇役。

物事は、情熱（熱意）がなければ、何事も成就しない。

自分の敵は自分であるので、自分に克てれば全てに勝てる。

どんな時代でも、自分を御するのが最も難しい。

人間はその人の心の中に神様がいる。だから念じて努力すれば、叶うことが多い。

自分を好きになってもらおうとすれば、自分も相手に対し、好意を持って接することである。

会社は、良いお客さんや良いメーカー（業者）と付き合わなければ、良い決算の数値は出ない。

良いお客先とは、資金力があり、注文を沢山出してくれて、支払いの良い会社。

良いメーカー（業者）とは、良い製品を安い価格で、こちらの納期どおりに納入してくれる会社。

一番の営業は、自分を売ること。

会社は、利益を出すのが当たり前で、赤字が三期以上続いている会社の経営者は社会的に犯罪者（意識的に）である。

社員にしっかりとした仕事をして貰おうとするなら、厳しさも教えなければならない。

仕事は事前段取りが九割、それで仕事の出来が決まる。

中小企業の社長は、数値に強くなければ、会社は成り立っていかない。

仕事場で面白くなければ、家に帰っても面白くない。

働く人の大部分は、一日で明るい時間帯の多くを仕事に注いでいる。

会社が一度赤字を出すと、その赤字を取り戻すには、いつもの五倍以上のエネルギーが必要となる。

会社は風通しが良くなければ、社員は育たない。

人はどんな人でも上手く行けば称賛され、上手く行かなければ非難される。

興味の無いところには何も生まれない。

経営者は、会社の景気が良いときに景気が悪くなることを想定して対策を練っておく。

何か事をなそうとするとき、その事への思いの深さで成功の度合いが決まる。

自分の考えを「正」として行動をすることは大事だが、あまりそれにこだわると、周りの景色が見えなくなる。

ここぞと思う時は他人を頼るな、自分を頼れ。

どんな小さな（低い）山でも登らなければ向こうの景色は見えない。

世の中に出た時の、初心を忘れるな。

普通の人は、多数の人と同じ行動をしたがるので、普通の人生を過ごしていく、それは悪いことではない。

悪い状況に陥った場合は出来るだけ早い内に決断をして、悪い状況と決裂する。

自然は共有しながら共に生きるものであり、逆らってはいけない、ましてや人間が自然を抑え込もうとするべきではない。

造って納めた設備が営業マン、お客先でした仕事が営業マン。

造った製品はわが子供。

世の中の全てのこと（人付き合い、仕事、勉強、趣味、習い事、お金儲け、等々）は好きにならないと上手く行かない。

人は、物を入れる器になるより皿になれ。

人は、調子の良い日には善人になり、調子の悪い日には悪人になる。

人間は、生まれたときから差別されている。

時間は、人間皆平等には与えられていない。

人間は、無知なほど罪が深い。

仮想の世界はすぐに現実に戻るが、現実の世界は長くそこに居続ける。

結婚は、惚れてするものではなく、惚れられてするものである。

人は、時間に使われ、お金に使われるようでは裕福になれない。時間とお金を使ってこそ裕福になる。

人生は、自分にとって良いことも、悪いことも受け入れて生きることである。

幸福とは、高望みをしないこと、「それでいい」と思えば幸せになる。

人は、何か問題が起きても、必死で行動したり、考え込んでいる時は集中しているので苦労は感じない。

心許せる人が傍にいれば、穏やかに生きていける。

他人のために尽くせるのは、自分に余裕が出来てから。それまでは自分が一番。

人間は誰も、死後の天国も地獄も見たことはない、行ったこともない、だから天国がある、地獄があると言われれば、つい信じてしまう。

他人は信じよ、任せよ、しかし、期待はするな。

明日は死ぬという思いで、今日を生きる。

現世は修業の場と聞いていたが、生きてみると、すごく楽しい世の中だと思った。

昔の出来事を、今の生活環境で考えるな。

悪いことの種は地中に埋め、地上に咲いた美しい花だけを見て生きる。

私は、今まで総てにおいて運が良かった。だから今まで楽しい人生を過ごしてこられた。

人生は自分が思った通りに生きられる。

この世の中は、体力（健康）、運、勘、心、熱意（情熱）、知力、努力、財力、分析力、行動力、そして勇気である。自分がどれだけ持てるかである。

人生は死ぬときを想像して、その位置から今日への計画を策定する。

人類は、自分達が壊した地球から逃げるのではなく、この星を再生してここで生きて行け、こんな美しい星は、地球以外にはないと思う。

無為の日を重ね続けて
古希の春

谷本天眼先生絶句

おわりに

最後までお読み下さいましてありがとうございました。

ここに書きました事は、総て私個人の考えで綴ったものであります。

美しい日本、美しい地球で、人間が命をかけた争いをすることなく、生活できる場になることを願って書いたものです。

もっと入り込んで書きたいこともありましたが、しつこくなって、読者の方々に上手く伝えられるかを心配した上での内容になりました。

人生で一つでも参考になることがありましたら嬉しく思います。

読者の方々には、お金の苗を植えておいたことに気付いて頂けたでしょうか。

宮﨑慎一

■著者紹介

宮﨑慎一

1951年　佐賀県に生まれる。
工業高校卒業後、工業炉専門会社に就職。
燃焼装置、電熱装置を使用した各種工業炉の建設、現場監督を行う。
その後、建設機械の設計会社、漁労設備の設計会社に勤務。
1995年　愛知県にて熱処理設備の設計、製作会社を設立。
2005年　自社工場を愛知県に建設。
各種熱処理炉、非鉄金属溶解炉、H_2・CO・N_2・O_2の各ガス発生装置、洗浄装置など約150基の設備を設計製作し、自動車メーカー、製鉄メーカー、工作機械メーカー、ベアリングメーカー、セラミックメーカー等のユーザーに納入。
2017年　会社の代表取締役社長を退任。

崩落する日本

2023年5月15日　第1刷発行

著　者　宮﨑慎一《みやざきしんいち》

発行者　太田宏司郎
発行所　株式会社パレード
　大阪本社　〒530-0021　大阪府大阪市北区浮田1-1-8
　　TEL 06-6485-0766　FAX 06-6485-0767
　東京支社　〒151-0051　東京都渋谷区千駄ヶ谷2-10-7
　　TEL 03-5413-3285　FAX 03-5413-3286
　https://books.parade.co.jp
発売元　株式会社星雲社（共同出版社・流通責任出版社）
　〒112-0005　東京都文京区水道1-3-30
　TEL 03-3868-3275　FAX 03-3868-6588
装　幀　藤山めぐみ（PARADE Inc.）
印刷所　創栄図書印刷株式会社

ISBN 978-4-434-32033-0　C0036